KB085718

맞춤형 연산 유형 마스터

확률과 통계

만렙은 다르다

1 만렙은 나의 학습 수준에 맞는
문제들로만 구성되어 있다.

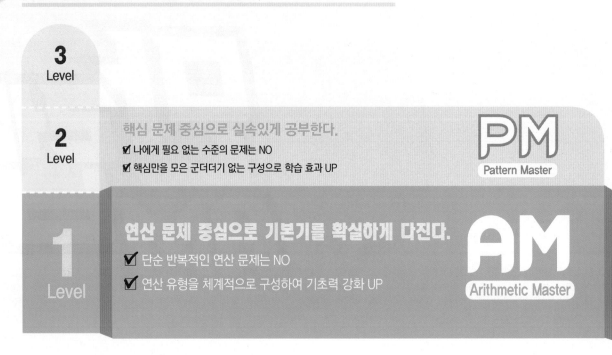

3 Level

2 Level

핵심 문제 중심으로 실속있게 공부한다.
☑ 나에게 필요 없는 수준의 문제는 NO
☑ 핵심만을 모은 군더더기 없는 구성으로 학습 효과 UP

PM
Pattern Master

1 Level

연산 문제 중심으로 기본기를 확실하게 다진다.
☑ 단순 반복적인 연산 문제는 NO
☑ 연산 유형을 체계적으로 구성하여 기초력 강화 UP

AM
Arithmetic Master

2 만렙은 STEP 구분 없이 한 개념에 대한
모든 문제를 한 번에 파악할 수 있다.

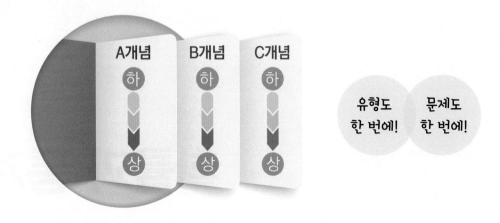

A개념
하
↓
상

B개념
하
↓
상

C개념
하
↓
상

유형도
한 번에!

문제도
한 번에!

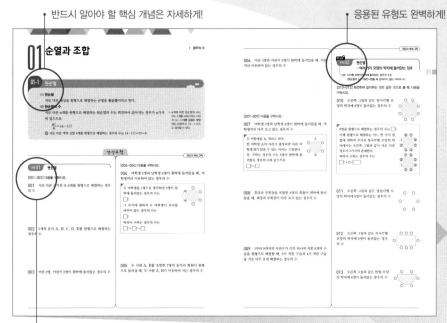

연산 유형

기초를 탄탄히 할 수 있는
연산 문제를
유형별로 구성하였다.

구성

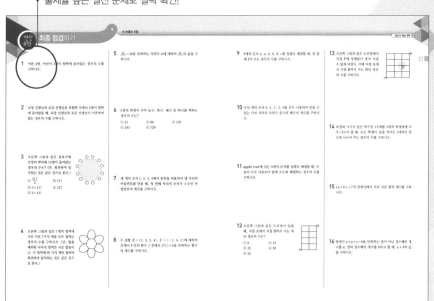

연산 유형
최종 점검하기

단원별 핵심 문제만을 모아
자신의 실력을
테스트할 수 있다.

AM의 차례

Ⅲ. 통계

01

순열과 조합

AM

01 순열과 조합

01-1 원순열

(1) 원순열

서로 다른 대상을 원형으로 배열하는 순열을 **원순열**이라고 한다.

(2) 원순열의 수

서로 다른 n개를 원형으로 배열하는 원순열의 수는 회전하여 같아지는 경우가 n가지씩 있으므로

$$\frac{n!}{n} = (n-1)!$$

예 서로 다른 색의 깃발 4개를 원형으로 배열하는 경우의 수는 $(4-1)! = 3! = 6$

● n개에 대한 원순열의 수는 어느 1개를 고정시키고 나머지 $(n-1)$개를 일렬로 배열하는 순열의 수 $(n-1)!$로도 생각할 수 있다.

연·산·유·형

정답과 해설 **2**쪽

유형 01 원순열

[001~003] 다음을 구하시오.

001 서로 다른 크기의 초 6개를 원형으로 배열하는 경우의 수

002 5개의 문자 A, B, C, D, E를 원형으로 배열하는 경우의 수

003 어른 2명, 어린이 2명이 원탁에 둘러앉는 경우의 수

[004~006] 다음을 구하시오.

004 여학생 2명과 남학생 4명이 원탁에 둘러앉을 때, 여학생끼리 이웃하여 앉는 경우의 수

두 여학생을 1명으로 생각하면 5명이 원탁에 둘러앉는 경우의 수는

$\square$!

그 각각에 대하여 두 여학생이 자리를 바꾸어 앉는 경우의 수는

$\square$!

따라서 구하는 경우의 수는

$\square! \times \square! = \square$

005 두 사람 A, B를 포함한 7명의 동아리 회원이 원형으로 둘러설 때, 두 사람 A, B가 이웃하여 서는 경우의 수

01

006 어른 3명과 어린이 3명이 원탁에 둘러앉을 때, 어른 끼리 이웃하여 앉는 경우의 수

[007~009] 다음을 구하시오.

007 여학생 2명과 남학생 4명이 원탁에 둘러앉을 때, 여학생끼리 마주 보고 앉는 경우의 수

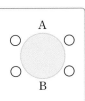

두 여학생을 A, B라고 하자.
한 여학생 A의 자리가 결정되면 다른 여학생 B가 앉을 수 있는 자리는 고정된다.
즉, 구하는 경우의 수는 5명이 원탁에 둘러앉는 경우의 수와 같으므로
$\square$! $=\square$

008 회장과 부회장을 포함한 4명의 회원이 원탁에 둘러앉을 때, 회장과 부회장이 마주 보고 앉는 경우의 수

009 1부터 8까지의 자연수가 각각 하나씩 적힌 8개의 구슬을 원형으로 배열할 때, 3이 적힌 구슬과 4가 적힌 구슬을 서로 마주 보게 배열하는 경우의 수

유형02 원순열
– 여러 가지 모양의 탁자에 둘러앉는 경우

TIP 다각형 모양의 탁자에 둘러앉는 경우의 수는
(원순열의 수)×(회전시켰을 때 겹쳐지지 않는 자리의 수)

[010~013] 회전하여 일치하는 것은 같은 것으로 볼 때, 다음을 구하시오.

010 오른쪽 그림과 같은 정사각형 모양의 탁자에 8명이 둘러앉는 경우의 수

8명을 원형으로 배열하는 경우의 수는 $\square$!
이때 원형으로 배열하는 어느 한 가지 방법에 대하여 주어진 정사각형 모양의 탁자에서는 오른쪽 그림과 같이 서로 다른 경우가 2가지씩 존재한다.
따라서 구하는 경우의 수는
$\square$! $\times 2 = \boxed{}$

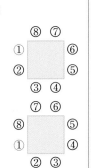

011 오른쪽 그림과 같은 정삼각형 모양의 탁자에 6명이 둘러앉는 경우의 수

012 오른쪽 그림과 같은 직사각형 모양의 탁자에 8명이 둘러앉는 경우의 수

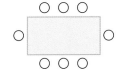

013 오른쪽 그림과 같은 반원 모양의 탁자에 6명이 둘러앉는 경우의 수

유형 03 원순열 – 도형에 색칠하는 경우

[014~015] 주어진 그림에서 각 영역에 한 가지 색만 칠하고 회전하여 일치하는 것은 같은 것으로 볼 때, 다음을 구하시오.

014 오른쪽 그림과 같이 정사각형으로 이루어진 4개의 영역에 서로 다른 4가지 색을 모두 칠하는 경우의 수

015 오른쪽 그림과 같이 6등분 된 원에서 6개의 영역에 서로 다른 6가지 색을 모두 칠하는 경우의 수

017 오른쪽 그림과 같이 두 정사각형이 겹쳐져서 이루어진 5개의 영역에 서로 다른 5가지 색을 모두 칠하는 경우의 수

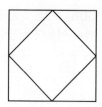

018 오른쪽 그림과 같이 정육각형으로 이루어진 7개의 영역에 서로 다른 7가지 색을 모두 칠하는 경우의 수

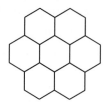

[016~019] 주어진 그림에서 각 영역에 한 가지 색만 칠하고 회전하여 일치하는 것은 같은 것으로 볼 때, 다음을 구하시오.

016 오른쪽 그림과 같이 정삼각형으로 이루어진 4개의 영역에 서로 다른 4가지 색을 모두 칠하는 경우의 수

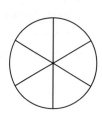

먼저 가운데 정삼각형을 칠하는 경우의 수는 ☐
나머지 3개의 정삼각형을 칠하는 경우의 수는 ☐!
따라서 구하는 경우의 수는
☐×☐!=☐

019 오른쪽 그림과 같은 정사각뿔의 각 면에 서로 다른 5가지 색을 모두 칠하는 경우의 수

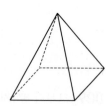

01-2 중복순열

(1) 중복순열

서로 다른 n개에서 중복을 허용하여 r개를 택하여 일렬로 배열하는 것을 n개에서 r개를 택하는 **중복순열**이라 하고, 기호 $_n\Pi_r$로 나타낸다.

(2) 중복순열의 수

서로 다른 n개에서 r개를 택하는 중복순열의 수는

$$_n\Pi_r = \underbrace{n \times n \times \cdots \times n}_{r개} = n^r$$

예 5개의 문자 A, B, C, D, E에서 중복을 허용하여 3개를 택하여 일렬로 배열하는 경우의 수는

$$_5\Pi_3 = 5^3 = 125$$

참고 $_n\mathrm{P}_r$에서는 $r \leq n$이지만 $_n\Pi_r$에서는 중복을 허용하므로 $r > n$일 수도 있다.

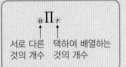

$_n\Pi_r$의 Π는 Product(곱)의 머리글자 P에 해당하는 그리스 문자로, '파이'라고 읽는다.

연·산·유·형

정답과 해설 **3**쪽

유형 04 중복순열의 수

[020~024] 다음 중복순열의 수를 구하시오.

020 $_5\Pi_2$

021 $_4\Pi_3$

022 $_4\Pi_4$

023 $_2\Pi_5$

024 $_3\Pi_4$

유형 05 중복순열의 수를 만족하는 값 구하기

[025~029] 다음을 만족하는 자연수 n 또는 r의 값을 구하시오.

025 $_n\Pi_3 = 216$

026 $_n\Pi_4 = 16$

027 $_n\Pi_n = 27$

028 $_2\Pi_r = 512$

029 $_5\Pi_r = 625$

유형 06 　중복순열

[030~034] 다음을 구하시오.

030 4명의 학생이 각각 급식 메뉴 A, B, C 중 하나를 택하는 경우의 수

031 수학여행에서 3명의 학생이 각각 6개의 숙소 중 한 군데에 배정되어 잔다고 할 때, 숙소를 배정받는 경우의 수

032 ○, ×로 답하는 8개의 문제에 임의로 답하는 경우의 수

033 두 모스 부호 •, −를 10번 사용하여 만들 수 있는 신호의 개수

034 일렬로 놓여 있는 전구 5개를 각각 켜거나 꺼서 만들 수 있는 신호의 개수
　　　 (단, 전구가 모두 꺼진 경우는 신호에서 제외한다.)

유형 07 　중복순열 – 자연수의 개수

[035~038] 네 개의 숫자 0, 1, 2, 3에서 중복을 허용하여 자연수를 만들 때, 다음을 구하시오.

035 네 자리의 자연수의 개수

> 천의 자리에 올 수 있는 숫자는 $\square$을 제외한 $\square$가지
>
> 나머지 자리에는 0, 1, 2, 3의 4개의 숫자 중에서 중복을 허용하여 $\square$개를 뽑아 일렬로 배열하면 되므로 그 경우의 수는
>
> $\square \Pi \square$
>
> 따라서 구하는 자연수의 개수는
>
> $\square \times \square \Pi \square = \boxed{}$

036 세 자리의 자연수의 개수

037 네 자리의 자연수 중 짝수의 개수

038 다섯 자리의 자연수 중 5의 배수의 개수

[039~043] 다섯 개의 숫자 0, 1, 2, 3, 4에서 중복을 허용하여 자연수를 만들 때, 다음을 구하시오.

039 세 자리의 자연수의 개수

040 네 자리의 자연수의 개수

041 네 자리의 자연수 중 홀수의 개수

042 세 자리의 자연수 중 300보다 작은 수의 개수

043 네 자리의 자연수 중 숫자 1을 포함한 수의 개수

PLUS⁺
유형 08 **중복순열 – 함수의 개수**

TIP 공역의 원소 중 중복을 허용하여 정의역의 각 원소에 대응시킬 원소를 택하는 경우의 수와 같다.

[044~047] 다음 두 집합 X, Y에 대하여 X에서 Y로의 함수의 개수를 구하시오.

044 $X=\{1, 2, 3\}$, $Y=\{4, 5, 6\}$

> Y의 원소 4, 5, 6의 3개 중에서 중복을 허용하여 3개를 택하여 X의 원소 1, 2, 3에 대응시키면 되므로 구하는 함수의 개수는
> $$\square\Pi_\square=\square$$

045 $X=\{1, 2\}$, $Y=\{3, 4, 5, 6\}$

046 $X=\{1, 2, 3, 4\}$, $Y=\{5, 6\}$

047 $X=\{1, 2, 3\}$, $Y=\{4, 5, 6, 7\}$

n개 중에서 같은 것이 각각 p개, q개, $\cdots$, r개씩 있을 때, n개를 일렬로 배열하는 순열의 수는

$$\frac{n!}{p! \times q! \times \cdots \times r!} \ (\text{단, } p+q+\cdots+r=n)$$

예 4개의 문자 a, a, b, c를 일렬로 배열하는 경우의 수는 $\dfrac{4!}{2! \times 1! \times 1!} = 12$ ◀ $1!=1$이므로 주로 생략한다.

연·산·유·형

정답과 해설 **4**쪽

유형 09 같은 것이 있는 순열 – 문자의 배열

[048~051] 다음 문자를 일렬로 배열하는 경우의 수를 구하시오.

048 6개의 문자 a, a, a, b, b, c

049 8개의 문자 a, a, b, b, c, c, d, d

050 content에 있는 7개의 문자

051 internet에 있는 8개의 문자

[052~055] 7개의 문자 a, a, a, b, b, c, c를 일렬로 배열할 때, 다음을 구하시오.

052 양 끝에 c가 오는 경우의 수

양 끝에 2개의 c를 고정시키고 그 사이에 나머지 문자 a, a, a, b, b를 일렬로 배열하는 경우의 수는

$c \bigcirc \bigcirc \bigcirc \bigcirc \bigcirc c$

$$\dfrac{\boxed{}!}{\boxed{}! \times 2!} = \boxed{}$$

053 양 끝에 a가 오는 경우의 수

054 a끼리 이웃하는 경우의 수

055 b끼리 이웃하는 경우의 수

[056~060] prepare에 있는 7개의 문자를 일렬로 배열할 때, 다음을 구하시오.

056 맨 앞에 a가 오는 경우의 수

057 맨 앞에 e가 오는 경우의 수

058 양 끝에 p가 오는 경우의 수

059 r끼리 이웃하는 경우의 수

060 모음끼리 이웃하는 경우의 수

 유형 10 **같은 것이 있는 순열 – 자연수의 개수**

[061~063] 다음을 구하시오.

061 다섯 개의 숫자 0, 1, 1, 2, 2를 모두 사용하여 만들 수 있는 다섯 자리의 자연수의 개수

> 자연수의 개수는 다섯 개의 숫자를 일렬로 배열하는 경우 중 맨 앞자리에 0이 오는 경우를 제외한 경우의 수와 같다.
> 0, 1, 1, 2, 2를 일렬로 배열하는 경우의 수는
> $$\frac{\Box!}{\Box! \times \Box!} = \Box$$
> 맨 앞자리에 0이 오는 경우의 수는 나머지 숫자 1, 1, 2, 2를 일렬로 배열하는 경우의 수와 같으므로
> $$\frac{\Box!}{\Box! \times \Box!} = \Box$$
> 따라서 구하는 자연수의 개수는
> $$\Box - \Box = \Box$$

062 다섯 개의 숫자 1, 1, 2, 3, 3을 모두 사용하여 만들 수 있는 다섯 자리의 자연수의 개수

063 여섯 개의 숫자 0, 0, 1, 2, 2, 2를 모두 사용하여 만들 수 있는 여섯 자리의 자연수의 개수

[064~067] 여섯 개의 숫자 0, 1, 2, 2, 3, 3을 모두 사용하여 여섯 자리의 자연수를 만들 때, 다음을 구하시오.

064 여섯 자리의 자연수의 개수

065 여섯 자리의 5의 배수의 개수

066 여섯 자리의 짝수의 개수

067 여섯 자리의 자연수 중 200000보다 큰 수의 개수

유형 11 특정 순서가 정해진 순열

TIP 서로 다른 n개를 일렬로 배열할 때, 특정한 r개는 미리 정해진 순서대로 배열하는 경우의 수는 $\dfrac{n!}{r!}$이다.

[068~071] 다음을 구하시오.

068 4개의 문자 A, B, C, D를 일렬로 배열할 때, A가 D보다 앞에 오는 경우의 수

> A, D의 순서가 정해져 있으므로 A, D를 모두 O로 생각하여 4개의 문자 O, B, C, O를 일렬로 배열한 후 첫 번째 O는 A로, 두 번째 O는 D로 바꾸면 된다.
> 따라서 구하는 경우의 수는
> $$\dfrac{\Box!}{\Box!}=\Box$$

069 다섯 개의 숫자 1, 2, 3, 4, 5를 일렬로 배열할 때, 숫자 1이 숫자 3보다 뒤에 오는 경우의 수

070 여섯 개의 숫자 1, 2, 3, 4, 5, 6을 일렬로 배열할 때, 짝수는 크기가 작은 것이 앞에 오는 경우의 수

071 6개의 문자 A, B, C, D, E, F를 일렬로 배열할 때, A가 B보다 앞에 오고 C가 D보다 앞에 오는 경우의 수

01-4 최단 경로

오른쪽 그림과 같은 도로망에서 지점 A에서 지점 B까지 최단 경로로 가려면 반드시 오른쪽과 위쪽으로만 가야 한다. 이때 오른쪽으로 한 칸 가는 것을 a, 위쪽으로 한 칸 가는 것을 b로 나타내면 최단 경로의 수는 p개의 a와 q개의 b를 일렬로 배열하는 경우의 수와 같으므로

$$\frac{(p+q)!}{p! \times q!}$$

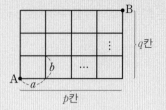

연·산·유·형

정답과 해설 6쪽

유형 12 최단 경로의 수

[072~077] 다음 그림과 같은 도로망이 있을 때, 지점 A에서 지점 B까지 가는 최단 경로의 수를 구하시오.

072

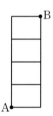

073

074

075

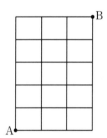

076

077

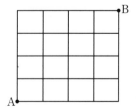

[078~080] 다음 그림과 같은 도로망이 있을 때, 지점 A에서 지점 P를 거쳐 지점 B까지 가는 최단 경로의 수를 구하시오.

078

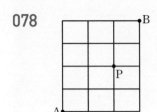

지점 A에서 지점 P까지 가는 최단 경로의 수는

$$\frac{\boxed{}!}{2! \times \boxed{}!} = \boxed{}$$

지점 P에서 지점 B까지 가는 최단 경로의 수는

$$\frac{\boxed{}!}{1! \times \boxed{}!} = \boxed{}$$

따라서 지점 A에서 지점 P를 거쳐 지점 B까지 가는 최단 경로의 수는

$$\boxed{} \times \boxed{} = \boxed{}$$

079

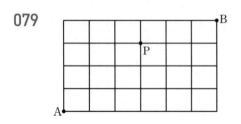

080

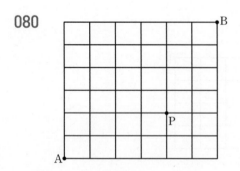

유형 13 **최단 경로의 수 – 장애물이 있는 경우**

TIP 장애물이 있는 지점을 제외하고 최단 경로로 갈 때 반드시 지나는 지점의 경우를 나누어 생각한다.

[081~083] 다음 그림과 같은 도로망이 있을 때, 지점 A에서 지점 B까지 가는 최단 경로의 수를 구하시오.

081

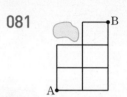

오른쪽 그림과 같이 두 지점 P, Q를 잡으면 지점 A에서 지점 B까지 가는 최단 경로는

A → P → B 또는 A → Q → B

(i) A → P → B로 가는 최단 경로의 수는

$$\frac{\boxed{}!}{\boxed{}!} \times \boxed{}! = \boxed{}$$

(ii) A → Q → B로 가는 최단 경로의 수는

$$\frac{\boxed{}!}{\boxed{}!} \times \boxed{} = \boxed{}$$

(i), (ii)에 의하여 구하는 최단 경로의 수는

$$\boxed{} + \boxed{} = \boxed{}$$

082

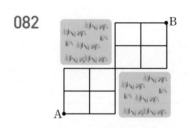

083

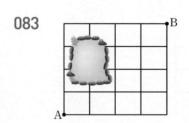

01-5 중복조합

(1) **중복조합**

서로 다른 n개에서 중복을 허용하여 r개를 택하는 조합을 **중복조합**이라 하고, 기호 $_n\mathrm{H}_r$로 나타낸다.

(2) **중복조합의 수**

서로 다른 n개에서 r개를 택하는 중복조합의 수는

$$_n\mathrm{H}_r = {}_{n+r-1}\mathrm{C}_r$$

예 5개의 문자 A, B, C, D, E에서 중복을 허용하여 3개를 택하는 경우의 수는

$$_5\mathrm{H}_3 = {}_7\mathrm{C}_3 = \frac{7 \times 6 \times 5}{3 \times 2 \times 1} = 35$$

참고 $_n\mathrm{C}_r$에서는 $r \le n$이지만 $_n\mathrm{H}_r$에서는 중복을 허용하므로 $r > n$일 수도 있다.

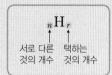

• $_n\mathrm{H}_r$의 H는 Homogeneous (같음)의 머리글자이다.

연·산·유·형

정답과 해설 **7**쪽

유형 14 중복조합의 수

[084~088] 다음 중복조합의 수를 구하시오.

084 $_5\mathrm{H}_2$

085 $_4\mathrm{H}_3$

086 $_4\mathrm{H}_4$

087 $_2\mathrm{H}_5$

088 $_3\mathrm{H}_4$

유형 15 중복조합의 수를 만족하는 값 구하기

[089~093] 다음을 만족하는 자연수 n 또는 r의 값을 구하시오.

089 $_4\mathrm{H}_7 = {}_n\mathrm{C}_3$

090 $_2\mathrm{H}_6 = {}_n\mathrm{C}_1$

091 $_3\mathrm{H}_r = {}_7\mathrm{C}_2$

092 $_n\mathrm{H}_2 = 66$

093 $_n\mathrm{H}_3 = 4$

유형 16 　중복조합

[094~098] 다음을 구하시오.

094 네 개의 숫자 1, 2, 3, 4에서 중복을 허용하여 3개를 택하는 경우의 수

095 장미와 백합 중에서 4송이를 고르는 경우의 수
(단, 같은 종류의 꽃은 서로 구별하지 않는다.)

096 사과, 감, 배만 파는 가게에서 과일 6개를 사는 경우의 수 (단, 같은 종류의 과일은 서로 구별하지 않는다.)

097 4명의 학생에게 서로 같은 음료수 8개를 나누어 주는 경우의 수 (단, 받지 못하는 학생이 있을 수 있다.)

098 모양이 다른 5개의 상자에 서로 같은 구슬 6개를 넣는 경우의 수 (단, 빈 상자가 있을 수 있다.)

[099~102] 다음을 구하시오.

099 3명의 학생에게 같은 종류의 연필 10자루를 모두 나누어 줄 때, 모든 학생이 연필을 적어도 한 자루씩은 받도록 나누어 주는 경우의 수

> 먼저 3명의 학생에게 연필을 각각 한 자루씩 나누어 주고, 남은 연필 ▢자루를 3명의 학생에게 나누어 주면 되므로 구하는 경우의 수는
> $\square H_{\square} = \square$

100 짜장면, 짬뽕, 볶음밥 중에서 7개를 주문할 때, 각 음식을 적어도 한 개씩은 주문하는 경우의 수
(단, 같은 종류의 음식은 서로 구별하지 않는다.)

101 모양이 다른 5개의 꽃병에 15송이의 꽃을 나누어 모두 꽂을 때, 빈 꽃병이 없도록 꽂는 경우의 수
(단, 꽃은 서로 구별하지 않는다.)

102 초콜릿, 사탕, 젤리 중에서 20개를 사려고 할 때, 사탕은 4개 이상 사고 젤리는 5개 이상 사는 경우의 수
(단, 초콜릿, 사탕, 젤리끼리는 서로 구별하지 않는다.)

PLUS⁺ 유형 17 중복조합 – 전개식의 항의 개수

TIP 다항식을 이루는 문자를 중복을 허용하여 다항식이 곱해진 횟수만큼 택하는 경우의 수와 같다.

[103~106] 다음 식의 전개식에서 서로 다른 항의 개수를 구하시오.

103 $(x+y+z)^5$

$(x+y+z)^5$의 전개식의 서로 다른 항의 개수는 3개의 문자 x, y, z에서 중복을 허용하여 ☐개를 택하는 중복조합의 수와 같다.
따라서 구하는 서로 다른 항의 개수는
$_☐\mathrm{H}_☐=$☐

104 $(x+y+z)^4$

105 $(a+b+c+d)^3$

106 $(a+b)^3(x+y+z)^7$

PLUS⁺ 유형 18 중복조합 – 방정식의 해의 개수

TIP 방정식 $x+y=4$의 한 해 $x=1$, $y=3$을 1개의 x, 3개의 y와 같이 생각하여 중복조합을 이용한다.

[107~108] 다음 방정식의 음이 아닌 정수해의 개수를 구하시오.

107 $x+y+z=6$

예를 들어 방정식의 한 해 $x=1$, $y=2$, $z=3$을 1개의 x, 2개의 y, 3개의 z와 같이 생각하면 음이 아닌 정수해의 개수는 3개의 문자 x, y, z에서 중복을 허용하여 ☐개를 택하는 중복조합의 수와 같다.
따라서 구하는 음이 아닌 정수해의 개수는
$_☐\mathrm{H}_☐=$☐

108 $x+y+z+w=9$

[109~110] 다음 방정식의 양의 정수해의 개수를 구하시오.

109 $x+y+z=6$

$X=x-1$, $Y=y-1$, $Z=z-1$이라고 하면 X, Y, Z는 음이 아닌 정수이다.
$x=X+1$, $y=Y+1$, $z=Z+1$을 방정식 $x+y+z=6$에 대입하여 정리하면
$X+Y+Z=$☐
따라서 구하는 양의 정수해의 개수는 방정식
$X+Y+Z=$☐의 음이 아닌 정수해의 개수와 같으므로
$_☐\mathrm{H}_☐=$☐

110 $x+y+z+w=10$

최종 점검하기

1 어른 4명, 어린이 3명이 원탁에 둘러앉는 경우의 수를 구하시오.

2 교장 선생님과 교감 선생님을 포함한 선생님 5명이 원탁에 둘러앉을 때, 교장 선생님과 교감 선생님이 이웃하여 앉는 경우의 수를 구하시오.

3 오른쪽 그림과 같은 정육각형 모양의 탁자에 12명이 둘러앉는 경우의 수는? (단, 회전하여 일치하는 것은 같은 것으로 본다.)

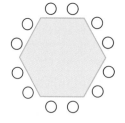

① $\dfrac{11!}{2}$ ② $11!$

③ $2 \times 11!$ ④ $12!$

⑤ $2 \times 12!$

4 오른쪽 그림과 같은 7개의 영역에 서로 다른 7가지 색을 모두 칠하는 경우의 수를 구하시오. (단, 원을 제외한 나머지 영역은 서로 합동이고, 각 영역에 한 가지 색만 칠하며 회전하여 일치하는 것은 같은 것으로 본다.)

5 $_n\Pi_2 = 36$을 만족하는 자연수 n에 대하여 $_3\Pi_n$의 값을 구하시오.

6 5명의 학생이 각각 농구, 축구, 배구 중 하나를 택하는 경우의 수는?

① 21   ② 60   ③ 125

④ 243   ⑤ 729

7 네 개의 숫자 1, 2, 3, 4에서 중복을 허용하여 네 자리의 비밀번호를 만들 때, 첫 번째 자리의 숫자가 소수인 비밀번호의 개수를 구하시오.

8 두 집합 $X = \{1, 2, 3, 4\}$, $Y = \{-1, 0, 1\}$에 대하여 X에서 Y로의 함수 f 중에서 $f(1) = 0$을 만족하는 함수의 개수를 구하시오.

9 6개의 문자 a, a, b, b, b, c를 일렬로 배열할 때, 양 끝에 b가 오는 경우의 수를 구하시오.

10 다섯 개의 숫자 0, 1, 1, 3, 5를 모두 사용하여 만들 수 있는 다섯 자리의 자연수 중 5의 배수의 개수를 구하시오.

11 apple tree에 있는 9개의 문자를 일렬로 배열할 때, 모음이 모두 자음보다 앞에 오도록 배열하는 경우의 수를 구하시오.

12 오른쪽 그림과 같은 도로망이 있을 때, 지점 A에서 지점 B까지 가는 최단 경로의 수는?

① 8　　　　　② 12

③ 15　　　　④ 20

⑤ 32

13 오른쪽 그림과 같은 도로망에서 지점 P에 장애물이 생겨 지날 수 없게 되었다. 이때 지점 A에서 지점 B까지 가는 최단 경로의 수를 구하시오.

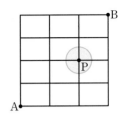

14 모양과 크기가 같은 탁구공 15개를 3명의 학생에게 모두 나누어 줄 때, 모든 학생이 공을 적어도 3개씩은 받도록 나누어 주는 경우의 수를 구하시오.

15 $(a+b+c)^7$의 전개식에서 서로 다른 항의 개수를 구하시오.

16 방정식 $x+y+z=8$을 만족하는 음이 아닌 정수해의 개수를 a, 양의 정수해의 개수를 b라고 할 때, $a+b$의 값을 구하시오.

02

이항정리

AM

02 이항정리

02-1 이항정리

n이 자연수일 때, $(a+b)^n$의 전개식은

$$(a+b)^n = {}_n C_0 a^n + {}_n C_1 a^{n-1} b^1 + \cdots + {}_n C_r a^{n-r} b^r + \cdots + {}_n C_n b^n$$

으로 나타낼 수 있고, 이를 **이항정리**라고 한다.

이때 각 항의 계수 ${}_n C_0,\ {}_n C_1,\ \cdots,\ {}_n C_r,\ \cdots,\ {}_n C_n$을 **이항계수**라 하고, ${}_n C_r a^{n-r} b^r$을 $(a+b)^n$의 전개식의 일반항이라고 한다.

참고 ${}_n C_r = {}_n C_{n-r}$,이므로 $a^{n-r} b^r$의 계수와 $a^r b^{n-r}$의 계수는 같다.

● $a^{n-r} b^r$의 계수 ${}_n C_r$는 n개의 인수 $(a+b)$ 중 r개에서 b를 택하는 경우의 수와 같다.

● n개의 인수 중 a를 n개 택하고 b를 하나도 택하지 않은 것을 $a^n b^0$으로 나타내고, $b \neq 0$일 때, $b^0 = 1$로 정한다.

연·산·유·형

정답과 해설 **10**쪽

유형 01 이항정리를 이용한 식의 전개

[001~008] 이항정리를 이용하여 다음 식을 전개하시오.

001 $(a+b)^3$

002 $(a+b)^4$

003 $(a-1)^5$

004 $(2a+b)^3$

005 $\left(x+\dfrac{1}{x}\right)^4$

006 $\left(x-\dfrac{1}{x}\right)^5$

007 $\left(2x+\dfrac{1}{x}\right)^3$

008 $\left(x-\dfrac{3}{x}\right)^4$

유형 02 $(a+b)^n$의 전개식의 일반항과 계수

[009~016] 다음을 구하시오.

009 $(x+y)^5$의 전개식에서 x^2y^3의 계수

010 $(x+y)^5$의 전개식에서 xy^4의 계수

011 $(x-2y)^4$의 전개식에서 x^3y의 계수

012 $(x-2y)^4$의 전개식에서 xy^3의 계수

013 $\left(x-\dfrac{1}{x}\right)^6$의 전개식에서 x^4의 계수

014 $\left(x-\dfrac{1}{x}\right)^6$의 전개식에서 $\dfrac{1}{x^2}$의 계수

015 $\left(x+\dfrac{2}{x}\right)^4$의 전개식에서 x^2의 계수

016 $\left(x+\dfrac{2}{x}\right)^4$의 전개식에서 상수항

PLUS⁺ 유형 03 $(a+b)^p(c+d)^q$의 전개식의 일반항과 계수

TIP $(a+b)^p$과 $(c+d)^q$의 전개식의 일반항을 각각 구한 후 곱하여 $(a+b)^p(c+d)^q$의 전개식의 일반항을 구한다.

[017~020] 다음을 구하시오.

017 $(1+x)^2(2+x)^4$의 전개식에서 x의 계수

> $(1+x)^2$의 전개식의 일반항은
> $\square C_r x^r$ …… ㉠
> $(2+x)^4$의 전개식의 일반항은
> ${}_4C_s 2^{\square} x^s$ …… ㉡
> $(1+x)^2(2+x)^4$의 전개식의 일반항은 ㉠×㉡이므로
> $\square C_r \times {}_4C_s 2^{\square} x^{r+s}$
> $r+s=1$을 만족하는 순서쌍 $(r,\,s)$는
> $(0,\,1),\,(1,\,0)$
> 따라서 x의 계수는
> $\square C_0 \times {}_4C_1 \times 2^{\square} + \square C_1 \times {}_4C_0 \times 2^{\square} = \square$

018 $(1+x)^4(1-x)^2$의 전개식에서 x^2의 계수

019 $(1+2x)^3(2+x)^3$의 전개식에서 x^2의 계수

020 $(1-x)^4(3+x)^5$의 전개식에서 x의 계수

02-2 파스칼의 삼각형 – 이항계수의 합

$n=1, 2, 3, \cdots$일 때, $(a+b)^n$의 전개식에서 이항계수를 삼각형 모양으로 차례로 배열하면 다음과 같다.

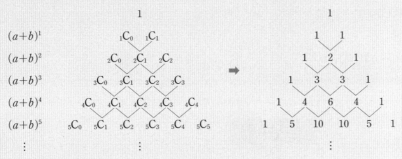

이와 같은 이항계수의 배열을 **파스칼의 삼각형**이라고 한다.

(1) 각 행의 수의 배열은 좌우 대칭이다. ➡ $_nC_r = {}_nC_{n-r}$

(2) 각 행에서 이웃하는 두 수의 합은 그 다음 행에서 두 수의 중앙에 위치한 수와 같다.

➡ $_{n-1}C_{r-1} + {}_{n-1}C_r = {}_nC_r$

연·산·유·형

정답과 해설 **11**쪽

유형 04 이항계수의 합

[021~023] 파스칼의 삼각형을 이용하여 다음 식을 전개하시오.

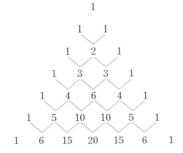

021 $(x+y)^4$

022 $(a-b)^6$

023 $(a-3)^5$

[024~027] 다음을 $_nC_r$의 꼴로 나타내시오.

024 $_4C_2 + {}_4C_3$

025 $_6C_3 + {}_6C_4$

026 $_8C_3 + {}_8C_4$

027 $_7C_2 + {}_7C_3 + {}_8C_2$

02-3 이항계수의 성질

$(1+x)^n = {}_n C_0 + {}_n C_1 x + {}_n C_2 x^2 + \cdots + {}_n C_n x^n$에서

(1) 양변에 $x=1$을 대입하면

$${}_n C_0 + {}_n C_1 + {}_n C_2 + \cdots + {}_n C_n = 2^n$$

(2) 양변에 $x=-1$을 대입하면

$${}_n C_0 - {}_n C_1 + {}_n C_2 - \cdots + (-1)^n {}_n C_n = 0$$

연·산·유·형

정답과 해설 11쪽

유형 05 이항계수의 성질

[028~033] 다음 식의 값을 구하시오.

028 ${}_3 C_0 + {}_3 C_1 + {}_3 C_2 + {}_3 C_3$

031 ${}_{11} C_1 + {}_{11} C_2 + {}_{11} C_3 + \cdots + {}_{11} C_{11}$

029 ${}_8 C_0 + {}_8 C_1 + {}_8 C_2 + \cdots + {}_8 C_8$

032 ${}_{10} C_0 - {}_{10} C_1 + {}_{10} C_2 - {}_{10} C_3 + \cdots + {}_{10} C_{10}$

033 ${}_{13} C_0 - {}_{13} C_1 + {}_{13} C_2 - {}_{13} C_3 + \cdots - {}_{13} C_{13}$

030 ${}_6 C_0 + {}_6 C_1 + {}_6 C_2 + {}_6 C_3 + {}_6 C_4 + {}_6 C_5$

[034~036] 다음을 만족하는 자연수 n의 값을 구하시오.

034 $1000 < {_n}C_1 + {_n}C_2 + {_n}C_3 + \cdots + {_n}C_n < 2000$

> ${_n}C_0 + {_n}C_1 + {_n}C_2 + {_n}C_3 + \cdots + {_n}C_n = 2^n$ 이므로
>
> ${_n}C_1 + {_n}C_2 + {_n}C_3 + \cdots + {_n}C_n = 2^n - \boxed{}$
>
> 따라서 주어진 부등식은
>
> $1000 < 2^n - \boxed{} < 2000$
>
> $\therefore 1001 < \boxed{} < 2001$
>
> 이때 $2^9 = 512$, $2^{10} = 1024$, $2^{11} = 2048$이므로
>
> $n = \boxed{}$

035 ${_n}C_0 + {_n}C_1 + {_n}C_2 + \cdots + {_n}C_n = 256$

036 $500 < {_n}C_0 + {_n}C_1 + {_n}C_2 + \cdots + {_n}C_{n-1} < 1000$

[037~040] 다음 식의 값을 구하시오.

037 ${_7}C_1 + {_7}C_3 + {_7}C_5 + {_7}C_7$

> ${_7}C_0 + {_7}C_1 + {_7}C_2 + \cdots + {_7}C_7 = 2^7$ $\cdots\cdots$ ㉠
>
> ${_7}C_0 - {_7}C_1 + {_7}C_2 - \cdots - {_7}C_7 = \boxed{}$ $\cdots\cdots$ ㉡
>
> ㉠$-$㉡을 하면
>
> $\boxed{}({_7}C_1 + {_7}C_3 + {_7}C_5 + {_7}C_7) = 2^7$
>
> $\therefore {_7}C_1 + {_7}C_3 + {_7}C_5 + {_7}C_7 = \boxed{}$

038 ${_9}C_1 + {_9}C_3 + {_9}C_5 + {_9}C_7 + {_9}C_9$

039 ${_9}C_2 + {_9}C_4 + {_9}C_6 + {_9}C_8$

040 ${_{12}}C_1 + {_{12}}C_3 + {_{12}}C_5 + {_{12}}C_7 + {_{12}}C_9 + {_{12}}C_{11}$

연산 유형 최종 점검하기

1 $(2x-y)^4$의 전개식에서 x^2y^2의 계수는?

① 16 ② 20 ③ 24
④ 28 ⑤ 32

2 $(x+ay)^5$의 전개식에서 x^3y^2의 계수가 90일 때, 양수 a의 값을 구하시오.

3 $\left(x^2-\dfrac{1}{x}\right)^5$의 전개식에서 x^4의 계수와 x^7의 계수의 합은?

① -15 ② -10 ③ -5
④ 0 ⑤ 5

4 $(x-1)^3(x+1)^4$의 전개식에서 x^5의 계수를 구하시오.

5 $(2+x)^4(1-x)^2$의 전개식에서 상수항과 x의 계수의 합은?

① -16 ② -8 ③ 8
④ 16 ⑤ 24

6 다음 중 오른쪽 그림의 색칠한 부분에 있는 수의 합과 같은 것은?

① $_4C_1$ ② $_4C_2$
③ $_5C_0$ ④ $_5C_1$
⑤ $_5C_2$

$$1$$
$$_1C_0 \quad _1C_1$$
$$_2C_0 \quad _2C_1 \quad _2C_2$$
$$_3C_0 \quad _3C_1 \quad _3C_2 \quad _3C_3$$
$$_4C_0 \quad _4C_1 \quad _4C_2 \quad _4C_3 \quad _4C_4$$
$$_5C_0 \quad _5C_1 \quad _5C_2 \quad _5C_3 \quad _5C_4 \quad _5C_5$$

7 다음 중 오른쪽 그림의 색칠한 부분에 있는 수의 합과 같은 것은?

$$1$$
$$_1C_0 \quad _1C_1$$
$$_2C_0 \quad _2C_1 \quad _2C_2$$
$$_3C_0 \quad _3C_1 \quad _3C_2 \quad _3C_3$$
$$_4C_0 \quad _4C_1 \quad _4C_2 \quad _4C_3 \quad _4C_4$$
$$_5C_0 \quad _5C_1 \quad _5C_2 \quad _5C_3 \quad _5C_4 \quad _5C_5$$

① $_4C_3$ ② $_5C_2$

③ $_5C_4$ ④ $_6C_3$

⑤ $_6C_4$

8 다음 중 $_1C_0+_2C_1+_3C_2+_4C_3+_5C_4$의 값과 같은 것은?

① $_5C_1$ ② $_6C_4$ ③ $_6C_5$

④ $_7C_1$ ⑤ $_7C_4$

9 $_{16}C_0-_{16}C_1+_{16}C_2-_{16}C_3+\cdots+_{16}C_{16}$의 값을 구하시오.

10 $_nC_0+_nC_1+_nC_2+\cdots+_nC_n=128$을 만족하는 자연수 n의 값을 구하시오.

11 $_nC_1+_nC_2+_nC_3+\cdots+_nC_{n-1}=62$를 만족하는 자연수 n의 값은?

① 6   ② 7   ③ 8

④ 9   ⑤ 10

12 $200<_nC_1+_nC_2+_nC_3+\cdots+_nC_n<300$을 만족하는 자연수 n의 값은?

① 7   ② 8   ③ 9

④ 10   ⑤ 11

03

확률의 뜻과 활용

AM

03 확률의 뜻과 활용

03-1 시행과 사건

(1) **시행:** 같은 조건에서 여러 번 반복할 수 있고 그 결과가 우연에 의하여 결정되는 실험이나 관찰

(2) **표본공간:** 어떤 시행에서 일어날 수 있는 모든 결과의 집합

(3) **사건:** 표본공간의 부분집합

예 서로 다른 2개의 동전을 동시에 던지는 시행에서 동전의 앞면을 H, 뒷면을 T라고 할 때, 표본공간은 {HH, HT, TH, TT}, 서로 다른 면이 나오는 사건은 {HT, TH}, 서로 같은 면이 나오는 사건은 {HH, TT}이다.

● 표본공간은 공집합이 아닌 경우만 생각한다.

● 근원사건: 원소 한 개로 이루어진 사건

연·산·유·형

정답과 해설 **13쪽**

유형 01   시행과 사건

[001~004] 한 개의 주사위를 던지는 시행에서 다음을 구하시오.

001 표본공간

002 2의 배수의 눈이 나오는 사건

003 8의 약수의 눈이 나오는 사건

004 소수의 눈이 나오는 사건

[005~008] 2부터 10까지의 짝수가 각각 하나씩 적힌 5장의 카드 중에서 임의로 1장을 뽑는 시행에서 다음을 구하시오.

005 표본공간

006 3의 배수가 나오는 사건

007 4의 배수가 나오는 사건

008 6의 약수가 나오는 사건

03-2 합사건, 곱사건, 배반사건, 여사건

표본공간 S의 두 사건 A, B에 대하여

(1) 합사건

A 또는 B가 일어나는 사건을 A와 B의 합사건이라 하고, 기호 $A \cup B$로 나타낸다.

(2) 곱사건

A와 B가 동시에 일어나는 사건을 A와 B의 곱사건이라 하고, 기호 $A \cap B$로 나타낸다.

(3) 배반사건

A와 B가 동시에 일어나지 않을 때, 즉 $A \cap B = \varnothing$일 때, 두 사건 A와 B는 배반이라 하고, 이 두 사건을 서로 **배반사건**이라고 한다.

(4) 여사건

A가 일어나지 않는 사건을 A의 **여사건**이라 하고, 기호 A^c으로 나타낸다.

● $A \cap A^c = \varnothing$이므로 사건 A와 그 여사건 A^c은 서로 배반사건이다.

연.산.유.형

정답과 해설 **13**쪽

유형 02 합사건, 곱사건, 배반사건, 여사건

[009~012] 한 상자에 1부터 10까지의 자연수가 각각 하나씩 적힌 10개의 공이 들어 있다. 이 상자의 공을 임의로 1개 꺼내는 시행에서 공에 적힌 수가 짝수인 사건을 A, 소수인 사건을 B라고 할 때, 다음을 구하시오.

009 $A \cup B$

010 $A \cap B$

011 A^c

012 B^c

[013~016] 각 면에 1부터 12까지의 자연수가 각각 하나씩 적힌 정십이면체 모양의 주사위 한 개를 던지는 시행에서 홀수의 눈이 나오는 사건을 A, 8의 약수의 눈이 나오는 사건을 B, 4의 배수의 눈이 나오는 사건을 C라고 할 때, 다음을 구하시오.

013 A, B, C 중에서 서로 배반인 두 사건

014 $A \cup C$

015 $B \cup C$

016 $A^c \cap B$

(1) 확률

어떤 시행에서 사건 A가 일어날 가능성을 수로 나타낸 것을 사건 A의 확률이라 하고, 기호 $P(A)$로 나타낸다.

● $P(A)$의 P는 Probability (확률)의 머리글자이다.

(2) 수학적 확률

어떤 시행의 표본공간 S가 유한개의 근원사건으로 이루어져 있고, 각 근원사건이 일어날 가능성이 모두 같은 정도로 기대될 때, 사건 A가 일어날 확률은

$$P(A)=\frac{n(A)}{n(S)}=\frac{(사건\ A의\ 원소의\ 개수)}{(표본공간\ S의\ 원소의\ 개수)}$$

이다. 이때 이 확률을 사건 A가 일어날 **수학적 확률**이라고 한다.

● 수학적 확률은 표본공간이 공집합이 아닌 유한집합인 경우에만 생각한다.

연.산.유.형

정답과 해설 13쪽

유형03 **수학적 확률**

[017~020] 서로 다른 2개의 주사위를 동시에 던질 때, 다음을 구하시오.

017 두 눈의 수의 합이 9일 확률

018 두 눈의 수가 서로 같을 확률

019 두 눈의 수의 합이 4 이하일 확률

020 두 눈의 수의 곱이 8의 배수일 확률

[021~023] 집합 $A=\{a, b, c, d, e, f\}$의 부분집합 중에서 임의로 한 개를 택할 때, 다음을 구하시오.

021 부분집합이 원소 a를 포함할 확률

집합 A의 부분집합의 개수는 $2^{\square}$
집합 A의 부분집합 중 a를 포함하는 부분집합의 개수는
$2^{\square}$

따라서 구하는 확률은 $\dfrac{2^{\square}}{2^{\square}}=\boxed{}$

022 부분집합이 원소 a, b를 모두 포함할 확률

023 부분집합이 원소 d, e, f를 모두 포함하지 않을 확률

유형 04 순열을 이용한 확률

[024~025] 5개의 문자 a, b, c, d, e를 일렬로 배열할 때, 다음을 구하시오.

024 a와 b가 이웃할 확률

> 5개의 문자를 일렬로 배열하는 경우의 수는 $\square$!
>
> a와 b를 한 문자로 보고 4개의 문자를 일렬로 배열하는 경우의 수는 $\square$!이고, a와 b가 자리를 바꾸는 경우의 수는 2!이므로 a와 b가 이웃하는 경우의 수는
>
> $\square$! × 2!
>
> 따라서 구하는 확률은 $\square$

025 자음은 자음끼리, 모음은 모음끼리 이웃할 확률

[026~027] 선생님 2명과 학생 6명이 원탁에 둘러앉을 때, 다음을 구하시오.

026 선생님끼리 이웃하여 앉을 확률

027 선생님끼리 마주 보고 앉을 확률

[028~029] 세 개의 숫자 1, 2, 3에서 중복을 허용하여 네 자리의 자연수를 만들 때, 다음을 구하시오.

028 네 자리의 자연수가 짝수일 확률

029 네 자리의 자연수가 3000보다 클 확률

[030~031] opinion에 있는 7개의 문자를 일렬로 배열할 때, 다음을 구하시오.

030 o가 양 끝에 올 확률

031 n끼리 이웃할 확률

유형 05 조합을 이용한 확률

[032~033] 1학년 학생 5명과 2학년 학생 2명으로 이루어진 동아리에서 대회에 나갈 3명의 학생을 임의로 뽑을 때, 다음을 구하시오.

032 1학년 학생만 뽑을 확률

7명 중 3명을 뽑는 경우의 수는 ☐

1학년 학생 5명 중 3명을 뽑는 경우의 수는 ☐

따라서 구하는 확률은 ☐

033 2학년 학생을 1명만 포함하여 뽑을 확률

[034~035] 흰 공 6개, 검은 공 3개가 들어 있는 주머니가 있을 때, 다음을 구하시오.

034 임의로 3개의 공을 동시에 꺼낼 때, 검은 공만 3개일 확률

035 임의로 4개의 공을 동시에 꺼낼 때, 흰 공이 3개일 확률

[036~037] 1부터 9까지의 자연수가 각각 하나씩 적힌 9장의 카드 중에서 임의로 3장을 동시에 뽑을 때, 다음을 구하시오.

036 뽑은 카드에 적힌 수가 모두 짝수일 확률

037 뽑은 카드에 적힌 수의 곱이 홀수일 확률

[038~039] 문구점에서 중복을 허용하여 가위, 지우개, 자를 구매할 때, 다음을 구하시오. (단, 같은 종류의 물건은 서로 구별하지 않으며 구매하지 않은 물건이 있을 수도 있다.)

038 4개를 구매할 때, 지우개를 2개만 구매할 확률

039 5개를 구매할 때, 가위를 1개만 구매할 확률

어떤 시행을 n번 반복할 때, 사건 A가 일어난 횟수를 r_n이라고 하자. 이때 n을 한없이 크게 함에 따라 상대도수 $\dfrac{r_n}{n}$이 일정한 값 p에 가까워지면 이 값 p를 사건 A의 **통계적 확률**이라고 한다.

● 통계적 확률을 구할 때, 실제로는 시행 횟수 n을 한없이 크게 할 수 없으므로 n이 충분히 클 때의 상대도수 $\dfrac{r_n}{n}$을 통계적 확률로 생각한다.

참고 어떤 사건 A가 일어날 수학적 확률이 p일 때, 시행 횟수를 충분히 크게 하면 통계적 확률은 수학적 확률 p에 가까워진다는 것이 알려져 있다. 따라서 수학적 확률을 구하기 어려운 경우에 통계적 확률을 대신 사용할 수 있다.

연·산·유·형

정답과 해설 15쪽

유형 06 통계적 확률

[040~042] 다음 물음에 답하시오.

040 어느 공장에서 생산된 제품 100개를 조사하였더니 불량품이 4개 발견되었다고 한다. 생산된 제품 중에서 임의로 택한 1개가 불량품일 확률을 구하시오.

041 직육면체 모양의 지우개를 120번 던졌더니 가장 넓은 면이 위로 오는 횟수가 95번이었다고 한다. 이 지우개를 1번 던졌을 때, 가장 넓은 면이 위로 올 확률을 구하시오.

042 어느 윷짝을 200번 던졌더니 평평한 면이 114번 나왔다고 한다. 이 윷짝을 1번 던졌을 때, 평평한 면이 나올 확률을 구하시오.

[043~045] 아래 표는 어느 양궁 선수가 화살을 100번 쏘아 과녁에 6점 이상을 맞힌 횟수를 나타낸 것이다. 이 선수가 화살을 한 번 쏠 때, 다음을 구하시오.

점수	6점	7점	8점	9점	10점
횟수	15	8	16	12	9

043 10점을 맞힐 확률

044 8점 이상을 맞힐 확률

045 6점 이상을 맞힐 확률

길이, 넓이, 부피 등 연속적으로 변하여 개수를 구할 수 없는 경우의 확률은 길이, 넓이, 부피 등의 비율로 구한다.

→ 연속적인 변량을 크기로 갖는 표본공간의 영역 S 안에서 각각의 점을 택할 가능성이 같은 정도로 기대될 때, 영역 S에 포함되어 있는 영역 A에 대하여 영역 S에서 임의로 택한 점이 영역 A에 속할 확률은

$$P(A) = \frac{(\text{영역 } A \text{의 크기})}{(\text{영역 } S \text{의 크기})}$$

연·산·유·형

정답과 해설 15쪽

유형 07 도형을 이용한 확률

[046~048] 다음 그림과 같이 같은 크기로 나뉜 정다각형 모양의 도형 내부의 점을 택할 때, 그 점이 색칠한 부분에 있을 확률을 구하시오. (단, 경계선 위의 점은 제외한다.)

046

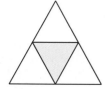

047

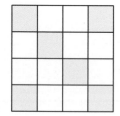

048

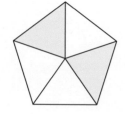

[049~051] 다음과 같은 과녁에 활을 쏠 때, 화살이 색칠한 부분에 맞을 확률을 구하시오. (단, 화살이 과녁을 벗어나거나 경계선에 맞는 경우는 생각하지 않는다.)

049 오른쪽 그림과 같이 반지름의 길이가 각각 3, 6이고 중심이 같은 두 원으로 이루어진 과녁

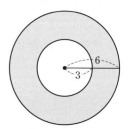

050 오른쪽 그림과 같이 반지름의 길이가 각각 2, 4, 6이고 중심이 같은 세 원으로 이루어진 과녁

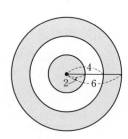

051 오른쪽 그림과 같이 반지름의 길이가 3이고 중심각의 크기가 각각 30°, 60°, 105°, 120°, 45°인 부채꼴로 이루어진 과녁

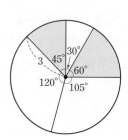

03-6 확률의 기본 성질

표본공간이 S인 어떤 시행에서

(1) 임의의 사건 A에 대하여 $0 \leq P(A) \leq 1$

(2) 반드시 일어나는 사건 S에 대하여 $P(S)=1$

(3) 절대로 일어나지 않는 사건 $\varnothing$에 대하여 $P(\varnothing)=0$

● 어떤 시행에서 반드시 일어나는 사건은 표본공간 S와 같다.

연·산·유·형

정답과 해설 15쪽

유형 08 **확률의 기본 성질**

[052~056] 서로 다른 2개의 주사위를 동시에 던질 때, 다음을 구하시오.

052 두 눈의 수가 모두 1일 확률

053 두 눈의 수가 모두 자연수일 확률

054 두 눈의 수의 합이 1일 확률

055 두 눈의 수의 합이 12 이하일 확률

056 두 눈의 수의 차가 6일 확률

[057~059] 빨간 공 6개, 노란 공 4개가 들어 있는 주머니에서 임의로 1개를 꺼낼 때, 다음을 구하시오.

057 빨간 공이 나올 확률

058 빨간 공 또는 노란 공이 나올 확률

059 파란 공이 나올 확률

[060~061] 1부터 10까지의 자연수가 각각 하나씩 적힌 10장의 카드 중에서 임의로 1장을 뽑을 때, 카드에 적힌 수가 짝수인 사건을 A, 홀수인 사건을 B라고 하자. 다음을 구하시오.

060 $P(A \cap B)$

061 $P(A \cup B)$

표본공간 S의 두 사건 A, B에 대하여
$$P(A\cup B)=P(A)+P(B)-P(A\cap B)$$
특히 두 사건 A, B가 서로 배반사건이면
$$P(A\cup B)=P(A)+P(B)$$

● 두 사건 A, B가 서로 배반 사건이면 $A\cap B=\varnothing$이므로 $P(A\cap B)=0$

연·산·유·형

정답과 해설 16쪽

유형 09 확률의 덧셈정리 – 배반사건이 아닌 경우

[062~065] 두 사건 A, B에 대하여 다음을 구하시오.

062 $P(A)=\dfrac{1}{4}$, $P(B)=\dfrac{1}{2}$, $P(A\cap B)=\dfrac{1}{6}$일 때, $P(A\cup B)$

063 $P(A)=\dfrac{1}{6}$, $P(B)=\dfrac{5}{12}$, $P(A\cup B)=\dfrac{1}{2}$일 때, $P(A\cap B)$

064 $P(A)=\dfrac{1}{3}$, $P(A\cup B)=\dfrac{8}{9}$, $P(A\cap B)=\dfrac{1}{6}$일 때, $P(B)$

065 $P(B)=\dfrac{3}{10}$, $P(A\cup B)=\dfrac{4}{5}$, $P(A\cap B)=\dfrac{1}{5}$일 때, $P(A)$

[066~068] 1부터 20까지의 자연수가 각각 하나씩 적힌 20장의 카드 중에서 임의로 1장을 뽑을 때, 다음을 구하시오.

066 카드에 적힌 수가 짝수 또는 소수일 확률

카드에 적힌 수가 짝수인 사건을 A라고 하면
$A=\{2, 4, 6, 8, 10, 12, 14, 16, 18, 20\}$
카드에 적힌 수가 소수인 사건을 B라고 하면
$B=\{2, 3, 5, 7, 11, 13, 17, 19\}$
$\therefore A\cap B=\{2\}$

따라서 $P(A)=\boxed{}$, $P(B)=\boxed{}$, $P(A\cap B)=\boxed{}$이므로 구하는 확률은

$$P(A\cup B)=P(A)+P(B)-P(A\cap B)=\boxed{}$$

067 카드에 적힌 수가 3의 배수 또는 12의 약수일 확률

068 카드에 적힌 수가 10의 약수 또는 15의 약수일 확률

[069~071] 두 사건 A, B에 대하여 다음을 구하시오.

069 $P(A)=\dfrac{3}{5}$, $P(B)=\dfrac{2}{3}$일 때, $P(A\cap B)$의 최솟값

$P(A\cup B)=P(A)+P(B)-P(A\cap B)$에서
$P(A\cap B)=P(A)+P(B)-P(A\cup B)$
$\qquad\quad=\boxed{}-P(A\cup B)$
$P(A\cap B)$가 최소이려면 $P(A\cup B)$가 최대이어야 한다.
$P(A\cup B)\geq P(A)$, $P(A\cup B)\geq P(B)$,
$0\leq P(A\cup B)\leq 1$이므로
$\boxed{}\leq P(A\cup B)\leq 1$
따라서 $P(A\cap B)$의 최솟값은 $P(A\cup B)=1$일 때이므로
$P(A\cap B)=\boxed{}$

070 $P(A)=\dfrac{5}{8}$, $P(B)=\dfrac{3}{4}$일 때, $P(A\cap B)$의 최솟값

071 $P(A)=\dfrac{1}{2}$, $P(B)=\dfrac{3}{4}$일 때, $P(A\cap B)$의 최댓값

유형 10   **확률의 덧셈정리 – 배반사건인 경우**

[072~074] 두 사건 A, B가 서로 배반사건일 때, 다음을 구하시오.

072 $P(A)=\dfrac{1}{3}$, $P(B)=\dfrac{1}{2}$일 때, $P(A\cup B)$

073 $P(A)=\dfrac{2}{5}$, $P(A\cup B)=\dfrac{7}{10}$일 때, $P(B)$

074 $P(B)=\dfrac{2}{3}$, $P(A\cup B)=1$일 때, $P(A)$

[075~076] 1부터 50까지의 자연수가 각각 하나씩 적힌 50장의 카드 중에서 임의로 1장을 뽑을 때, 다음을 구하시오.

075   카드에 적힌 수가 10 이하 또는 40 이상일 확률

076   카드에 적힌 수가 8의 약수 또는 10의 배수일 확률

사건 A의 여사건 A^c의 확률은

$$P(A^c)=1-P(A)$$

● 사건 A와 그 여사건 A^c은 서로 배반사건이다.

참고 • (적어도 하나가 ~일 확률)=1-(모두 ~가 아닐 확률)

• (~가 아닐 확률)=1-(~일 확률)

• (~ 이상일 확률)=1-(~ 미만일 확률)

• (~ 이하일 확률)=1-(~ 초과일 확률)

연·산·유·형

정답과 해설 17쪽

유형 11 여사건의 확률의 계산

[077~078] 사건 A에 대하여 다음을 구하시오.

077 $P(A)=\dfrac{1}{3}$일 때, $P(A^c)$

078 $P(A^c)=\dfrac{3}{7}$일 때, $P(A)$

[079~080] 1부터 15까지의 자연수가 각각 하나씩 적힌 15개의 공이 들어 있는 주머니에서 임의로 1개를 꺼낼 때, 공에 적힌 수가 15의 약수인 사건을 A, 소수인 사건을 B라고 하자. 다음을 구하시오.

079 $P(A^c)$

080 $P(B^c)$

[081~083] 두 사건 A, B가 서로 배반사건일 때, 다음을 구하시오.

081 $P(A^c)=\dfrac{1}{3}$, $P(B)=\dfrac{1}{4}$일 때, $P(A\cup B)$

$P(A^c)=1-P(A)$에서

$\dfrac{1}{3}=1-P(A)$ ∴ $P(A)=\boxed{}$

두 사건 A, B가 서로 배반사건이므로

$P(A\cup B)=P(A)+P(B)=\boxed{}$

082 $P(A^c)=\dfrac{4}{5}$, $P(B^c)=\dfrac{1}{2}$일 때, $P(A\cup B)$

083 $P(A)=\dfrac{1}{4}$, $P(B)=\dfrac{1}{3}$일 때, $P(A^c\cap B^c)$

유형 **12** 여사건의 확률 – '적어도'의 조건이 있는 경우

[084~085] 다음을 구하시오.

084 서로 다른 3개의 동전을 동시에 던질 때, 적어도 1개는 앞면이 나올 확률

> 적어도 1개는 앞면이 나오는 사건을 A라고 하면 A^c은 3개 모두 뒷면이 나오는 사건이므로
>
> $P(A^c)=$ ☐
>
> 따라서 구하는 확률은
>
> $P(A)=1-P(A^c)=$ ☐

085 서로 다른 4개의 동전을 동시에 던질 때, 적어도 1개는 뒷면이 나올 확률

[086~087] 정상 제품 8개, 불량품 2개가 들어 있는 상자에서 임의로 2개를 동시에 꺼낼 때, 다음을 구하시오.

086 적어도 1개는 정상 제품일 확률

087 적어도 1개는 불량품일 확률

[088~089] 흰 바둑돌 4개, 검은 바둑돌 9개가 들어 있는 주머니가 있다. 다음을 구하시오.

088 임의로 2개의 바둑돌을 동시에 꺼낼 때, 적어도 1개는 흰 바둑돌일 확률

089 임의로 3개의 바둑돌을 동시에 꺼낼 때, 적어도 1개는 검은 바둑돌일 확률

[090~091] 남학생 3명, 여학생 4명 중에서 임의로 3명을 동시에 택할 때, 다음을 구하시오.

090 적어도 1명은 남학생일 확률

091 적어도 1명은 여학생일 확률

유형13 여사건의 확률
– '아닌', '이상', '이하'의 조건이 있는 경우

[092~093] 1부터 20까지의 자연수가 각각 하나씩 적힌 20장의 카드 중에서 임의로 1장을 뽑을 때, 다음을 구하시오.

092 카드에 적힌 수가 7의 배수가 아닐 확률

093 카드에 적힌 수가 소수가 아닐 확률

[094~095] ○, ×로 답하는 6개의 문제에 임의로 답을 모두 표기할 때, 다음을 구하시오.

094 2문제 이상을 맞힐 확률

2문제 이상 맞히는 사건을 A라고 하면 A^c은 모두 틀리거나 1문제만 맞히는 사건이다.

(i) 모두 틀릴 확률은 $\dfrac{\square}{2^6}$

(ii) 1문제만 맞힐 확률은 $\dfrac{\square}{2^6}$

(i), (ii)에 의하여 $\mathrm{P}(A^c)=\boxed{}$ 이므로 구하는 확률은

$\mathrm{P}(A)=1-\mathrm{P}(A^c)=\boxed{}$

095 4문제 이하로 맞힐 확률

[096~098] 서로 다른 2개의 주사위를 동시에 던질 때, 다음을 구하시오.

096 두 눈의 수가 서로 다를 확률

097 두 눈의 수의 합이 3 이상일 확률

098 두 눈의 수의 차가 3 이하일 확률

[099~100] 빨간 공 5개, 파란 공 4개가 들어 있는 주머니에서 임의로 4개를 동시에 꺼낼 때, 다음을 구하시오.

099 빨간 공이 2개 이상일 확률

100 파란 공이 3개 이하일 확률

연산 유형 **최종 점검**하기

1 한 개의 주사위를 던지는 시행에서 홀수의 눈이 나오는 사건을 A, 2의 배수의 눈이 나오는 사건을 B, 3의 배수의 눈이 나오는 사건을 C라고 할 때, 다음 보기 중 서로 배반사건인 것만을 있는 대로 고르시오.

┌ 보기 ├
ㄱ. A와 B ㄴ. A와 C ㄷ. B와 C

2 오른쪽 그림과 같이 세 지점 A, B, C를 연결하는 도로가 있다. 지점 A에서 지점 C까지 갈 때, 지점 B를 반드시 지날 확률을 구하시오. (단, 한 번 지나간 지점은 다시 지나지 않는다.)

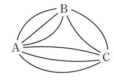

3 5개의 문자 a, b, c, d, e를 일렬로 배열할 때, a가 맨 앞에 올 확률은?

① $\dfrac{1}{7}$ ② $\dfrac{1}{6}$ ③ $\dfrac{1}{5}$

④ $\dfrac{1}{4}$ ⑤ $\dfrac{1}{3}$

4 오른쪽 그림과 같이 크기가 같은 정사각형으로 이루어진 5개의 영역에 빨강, 노랑, 초록, 파랑, 보라의 5가지 색을 한 번씩만 사용하여 칠할 때, 가운데 있는 영역에 빨간색을 칠할 확률을 구하시오. (단, 회전하여 일치하는 것은 같은 것으로 본다.)

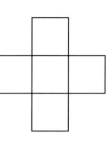

5 5명의 학생 A, B, C, D, E를 각각 1반, 2반, 3반 중 한 학급에 배정하려고 할 때, 이 중 4명이 1반에 배정될 확률은?

① $\dfrac{2}{243}$ ② $\dfrac{5}{243}$ ③ $\dfrac{1}{25}$

④ $\dfrac{10}{243}$ ⑤ $\dfrac{2}{25}$

6 backpack에 있는 8개의 문자를 일렬로 배열할 때, 모음 끼리 이웃할 확률은?

① $\dfrac{1}{8}$ ② $\dfrac{1}{4}$ ③ $\dfrac{3}{8}$

④ $\dfrac{1}{2}$ ⑤ $\dfrac{5}{8}$

7 ♥가 그려진 카드 6장, ♣가 그려진 카드 4장을 주머니에 넣어 섞은 후 임의로 4장을 동시에 뽑을 때, ♥가 그려진 카드와 ♣가 그려진 카드가 각각 2장씩 나올 확률을 구하시오.

8 방정식 $x+y+z=9$의 음이 아닌 정수해 중 하나를 택할 때, 택한 해가 양의 정수해일 확률은?

① $\dfrac{21}{55}$　　② $\dfrac{28}{55}$　　③ $\dfrac{7}{11}$

④ $\dfrac{42}{55}$　　⑤ $\dfrac{49}{55}$

9 오른쪽 표는 어느 기업에서 소비자 500명을 대상으로 제품 선호도를 조사하여 나타낸 것이다. 이 소비자 중 한 명을 택할 때, 그 사람이 A 제품을 선호할 확률을 구하시오.

제품명	선호 인원
A	128
B	63
C	207
D	102

10 오른쪽 그림과 같이 반지름의 길이가 각각 1, 2, 3, 4이고 중심이 같은 네 원으로 이루어진 과녁에 총을 쏠 때, 색칠한 부분을 맞힐 확률을 구하시오. (단, 총알이 과녁을 벗어나거나 경계선에 맞는 경우는 생각하지 않는다.)

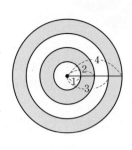

11 표본공간 S의 임의의 두 사건 A, B에 대하여 다음 보기 중 옳은 것만을 있는 대로 고르시오.

┤ 보기 ├
ㄱ. $0 \leq \mathrm{P}(A) \leq 1$
ㄴ. $1 \leq \mathrm{P}(A \cup B) \leq 2$
ㄷ. $\mathrm{P}(S) + \mathrm{P}(\varnothing) = 1$

12 어느 학교의 학생 중에서 수박을 좋아하는 학생은 전체의 25 %, 포도를 좋아하는 학생은 전체의 20 %이고, 수박과 포도를 모두 좋아하는 학생은 전체의 12 %라고 한다. 이 학교의 학생 중에서 임의로 한 명을 택할 때, 수박 또는 포도를 좋아하는 학생일 확률을 구하시오.

13 두 사건 A, B에 대하여
$$P(A)=0.7, \ P(B)=0.55$$
이다. $P(A\cap B)$의 최댓값을 M, 최솟값을 m이라고 할 때, $M+m$의 값을 구하시오.

14 pencil에 있는 6개의 문자를 일렬로 배열할 때, c가 맨 앞에 오거나 맨 뒤에 올 확률은?

① $\dfrac{1}{12}$ ② $\dfrac{1}{6}$ ③ $\dfrac{1}{3}$

④ $\dfrac{1}{2}$ ⑤ $\dfrac{2}{3}$

15 두 사건 A, B에 대하여
$$P(A)=\frac{1}{5}, \ P(B)=\frac{1}{2}, \ P(A\cap B)=\frac{1}{10}$$
일 때, $P(A^c\cap B^c)$은?

① $\dfrac{2}{5}$ ② $\dfrac{1}{2}$ ③ $\dfrac{3}{5}$

④ $\dfrac{7}{10}$ ⑤ $\dfrac{9}{10}$

16 3개의 당첨 제비를 포함한 10개의 제비 중 임의로 2개를 동시에 뽑을 때, 적어도 1개가 당첨 제비일 확률은?

① $\dfrac{7}{15}$ ② $\dfrac{8}{15}$ ③ $\dfrac{3}{5}$

④ $\dfrac{2}{3}$ ⑤ $\dfrac{11}{15}$

17 어린이 2명과 어른 3명을 일렬로 세울 때, 어린이 사이에 적어도 1명의 어른이 설 확률은?

① $\dfrac{1}{5}$ ② $\dfrac{2}{5}$ ③ $\dfrac{1}{2}$

④ $\dfrac{3}{5}$ ⑤ $\dfrac{3}{4}$

18 다섯 개의 숫자 1, 1, 2, 3, 3을 모두 사용하여 다섯 자리의 자연수를 만들 때, 그 수가 33000 이하일 확률을 구하시오.

04

조건부확률

AM

04 조건부확률

04-1 조건부확률

(1) 표본공간 S의 두 사건 A, B에 대하여 확률이 0이 아닌 사건 A가 일어났다는 조건 아래에서 사건 B가 일어날 확률을 사건 A가 일어났을 때의 사건 B의 **조건부확률**이라 하고, 이것을 기호 $\mathbf{P(B|A)}$로 나타낸다.

(2) 사건 A가 일어났을 때의 사건 B의 조건부확률은

$$P(B|A)=\frac{P(A\cap B)}{P(A)} \ (단, P(A)>0)$$

주의 일반적으로 $P(B|A)$와 $P(A|B)$는 다르다.

• $P(B|A)$는 A를 새로운 표본공간으로 생각했을 때, A에서 사건 $A\cap B$가 일어날 확률을 의미한다.
→ $P(B|A)=\dfrac{n(A\cap B)}{n(A)}$

연·산·유·형

정답과 해설 21쪽

유형 01 조건부확률의 계산

[001~002] 두 사건 A, B에 대하여
$$P(A)=\frac{2}{5},\ P(B)=\frac{1}{2},\ P(A\cap B)=\frac{1}{4}$$
일 때, 다음을 구하시오.

001 $P(B|A)$

002 $P(A|B)$

[003~004] 두 사건 A, B에 대하여
$$P(A)=\frac{1}{3},\ P(B)=\frac{1}{5},\ P(A\cap B)=\frac{1}{8}$$
일 때, 다음을 구하시오.

003 $P(B|A)$

004 $P(A|B)$

[005~006] 두 사건 A, B에 대하여
$$P(A)=\frac{3}{4},\ P(B)=\frac{1}{2},\ P(A\cup B)=\frac{7}{8}$$
일 때, 다음을 구하시오.

005 $P(B|A)$

006 $P(A|B)$

[007~008] 두 사건 A, B에 대하여
$$P(B)=\frac{2}{5},\ P(A\cap B)=\frac{1}{10},\ P(A\cup B)=\frac{14}{15}$$
일 때, 다음을 구하시오.

007 $P(B|A)$

008 $P(A|B)$

유형 02   조건부확률

[009~010] 한 개의 주사위를 던져서 짝수의 눈이 나오는 사건을 A, 6의 약수의 눈이 나오는 사건을 B라고 할 때, 다음을 구하시오.

009 $P(B|A)$

010 $P(A|B)$

[011~012] 1부터 20까지의 자연수가 각각 하나씩 적힌 20개의 공이 들어 있는 주머니에서 임의로 1개를 뽑을 때, 공에 적힌 수가 3의 배수인 사건을 A, 4의 배수인 사건을 B라고 하자. 다음을 구하시오.

011 $P(B|A)$

012 $P(A|B)$

[013~016] 다음을 구하시오.

013   한 개의 주사위를 던져서 홀수의 눈이 나왔을 때, 그 눈이 10의 약수일 확률

> 홀수의 눈이 나오는 사건을 A, 10의 약수의 눈이 나오는 사건을 B라고 하면
> $A=\{1,\ 3,\ 5\}$, $B=\{1,\ 2,\ 5\}$, $A\cap B=\{1,\ 5\}$
> $\therefore P(A)=\boxed{}$, $P(A\cap B)=\boxed{}$
> 따라서 구하는 확률은
> $P(B|A)=\dfrac{P(A\cap B)}{P(\boxed{})}=\boxed{}$

014   한 개의 주사위를 던져서 2의 배수의 눈이 나왔을 때, 그 눈이 소수일 확률

015   100원짜리 동전 1개, 50원짜리 동전 1개, 10원짜리 동전 1개를 동시에 던져서 앞면이 1개 나왔을 때, 그것이 100원짜리 동전일 확률

016   서로 다른 2개의 주사위를 던져서 나온 눈의 수의 합이 6일 때, 그 두 눈의 수가 모두 짝수일 확률

[017~019] 아래 표는 어느 반 학생 30명의 글짓기 대회의 참가 여부를 조사하여 나타낸 것이다. 다음을 구하시오.

	남학생	여학생	합계
참가	9	9	18
불참	8	4	12
합계	17	13	30

017 이 반 학생 중에서 임의로 택한 한 명이 글짓기 대회에 참가할 때, 그 학생이 남학생일 확률

글짓기 대회에 참가하는 학생을 택하는 사건을 A, 남학생을 택하는 사건을 B라고 하면

$\mathrm{P}(A)=\boxed{}$, $\mathrm{P}(A \cap B)=\boxed{}$ ← 글짓기 대회에 참가하는 남학생을 택할 확률

따라서 구하는 확률은

$\mathrm{P}(B \mid A)=\dfrac{\mathrm{P}(A \cap B)}{\mathrm{P}(\boxed{})}=\boxed{}$

018 이 반 학생 중에서 임의로 택한 한 명이 글짓기 대회에 참가하지 않을 때, 그 학생이 여학생일 확률

019 이 반 학생 중에서 임의로 택한 한 명이 여학생일 때, 그 학생이 글짓기 대회에 참가하지 않을 확률

[020~022] 아래 표는 어느 고등학교의 1학년 학생 100명과 2학년 학생 80명을 대상으로 사회와 과학 중에서 선호하는 과목을 조사하여 나타낸 것이다. 다음을 구하시오.

	1학년	2학년	합계
사회	36	44	80
과학	64	36	100
합계	100	80	180

020 조사 대상 학생 중에서 임의로 택한 한 명이 1학년일 때, 그 학생이 사회를 선호할 확률

021 조사 대상 학생 중에서 임의로 택한 한 명이 2학년일 때, 그 학생이 과학을 선호할 확률

022 조사 대상 학생 중에서 임의로 택한 한 명이 과학을 선호할 때, 그 학생이 1학년일 확률

두 사건 A, B에 대하여 $P(A)>0$, $P(B)>0$일 때, A, B가 동시에 일어날 확률은

$$P(A \cap B) = P(A)P(B|A)$$
$$= P(B)P(A|B)$$

참고 · $P(B|A) = \dfrac{P(A \cap B)}{P(A)}$의 양변에 $P(A)$를 곱하면 $P(A \cap B) = P(A)P(B|A)$

· $P(A|B) = \dfrac{P(A \cap B)}{P(B)}$의 양변에 $P(B)$를 곱하면 $P(A \cap B) = P(B)P(A|B)$

04

연·산·유·형

정답과 해설 **22**쪽

유형 03 확률의 곱셈정리의 계산

[023~024] 두 사건 A, B에 대하여
$$P(A) = \frac{1}{3}, \ P(B) = \frac{1}{2}, \ P(A|B) = \frac{1}{8}$$
일 때, 다음을 구하시오.

023 $P(A \cap B)$

024 $P(B|A)$

[025~026] 두 사건 A, B에 대하여
$$P(A) = 0.3, \ P(B) = 0.4, \ P(B|A) = 0.2$$
일 때, 다음을 구하시오.

025 $P(A \cap B)$

026 $P(A|B)$

유형 04 확률의 곱셈정리

[027~029] 흰 공 5개, 검은 공 15개가 들어 있는 주머니에서 임의로 공을 1개씩 2번 꺼낼 때, 다음을 구하시오.
(단, 꺼낸 공은 다시 넣지 않는다.)

027 두 번 모두 흰 공이 나올 확률

첫 번째에 흰 공이 나오는 사건을 A, 두 번째에 흰 공이 나오는 사건을 B라고 하면

$$P(A) = \frac{\Box}{20}, \ P(B|A) = \frac{\Box}{19}$$

따라서 구하는 확률은

$$P(A \cap B) = P(A)P(B|A) = \boxed{}$$

028 두 번 모두 검은 공이 나올 확률

029 첫 번째는 검은 공, 두 번째는 흰 공이 나올 확률

[030~031] 4개의 당첨 제비를 포함한 10개의 제비 중에서 진영이와 경민이가 이 순서대로 임의로 1개씩 **뽑을** 때, 다음을 구하시오. (단, 뽑은 제비는 다시 넣지 않는다.)

030 2명 모두 당첨될 확률

031 진영이는 당첨되고, 경민이는 당첨되지 않을 확률

[032~033] 12개의 송편 중 9개에는 깨가 들어 있고, 3개에는 밤이 들어 있다. 이 중에서 임의로 송편을 1개씩 2번 먹을 때, 다음을 구하시오.

032 2개의 송편 모두 밤이 들어 있을 확률

033 처음 먹은 송편은 밤이 들어 있고, 두 번째 먹은 송편은 깨가 들어 있을 확률

[034~036] 다음을 구하시오.

034 빨간 구슬 3개, 파란 구슬 12개가 들어 있는 주머니에서 임의로 구슬을 1개씩 2번 꺼낼 때, 두 번째 꺼낸 구슬이 빨간 구슬일 확률 (단, 꺼낸 구슬은 다시 넣지 않는다.)

첫 번째에 빨간 구슬이 나오는 사건을 A, 두 번째에 빨간 구슬이 나오는 사건을 B라고 하자.

이때 사건 B가 일어나는 것은 첫 번째와 두 번째 모두 빨간 구슬이 나오거나, 첫 번째에 파란 구슬이 나오고 두 번째에 빨간 구슬이 나오는 경우이다.

(ⅰ) 첫 번째와 두 번째 모두 빨간 구슬이 나올 확률은

$$P(A\cap B)=P(A)P(B|A)=\boxed{}\times\boxed{}=\boxed{}$$

(ⅱ) 첫 번째에 파란 구슬이 나오는 사건은 A^c이므로 첫 번째에 파란 구슬이 나오고 두 번째에 빨간 구슬이 나올 확률은

$$P(A^c\cap B)=P(A^c)P(B|A^c)=\boxed{}\times\boxed{}=\boxed{}$$

따라서 구하는 확률은

$$P(B)=P(A\cap B)+P(A^c\cap B)=\boxed{}$$

035 빨간 장미 10송이, 노란 장미 8송이가 들어 있는 상자에서 임의로 장미를 1송이씩 2번 꺼낼 때, 두 번째 꺼낸 장미가 노란 장미일 확률

(단, 꺼낸 장미는 다시 넣지 않는다.)

036 포도 음료 5병, 자몽 음료 7병이 들어 있는 상자에서 갑과 을이 이 순서대로 음료를 임의로 1병씩 꺼낼 때, 을이 자몽 음료를 꺼낼 확률

(단, 꺼낸 음료는 다시 넣지 않는다.)

(1) 사건의 독립

두 사건 A, B에 대하여 사건 A가 일어나는 것이 사건 B가 일어날 확률에 영향을 주지 않을 때, 즉

$$\mathrm{P}(B|A)=\mathrm{P}(B)$$

일 때, 두 사건 A, B는 서로 **독립**이라고 한다.

참고 $\mathrm{P}(A|B)=\mathrm{P}(A)$일 때도 두 사건 A, B는 서로 독립이다.

(2) 사건의 종속

두 사건 A, B가 서로 독립이 아닐 때, 두 사건 A, B는 서로 **종속**이라고 한다.

(3) 두 사건이 독립일 조건

두 사건 A, B가 서로 독립이기 위한 필요충분조건은

$$\mathrm{P}(A\cap B)=\mathrm{P}(A)\mathrm{P}(B) \text{ (단, } \mathrm{P}(A)>0, \mathrm{P}(B)>0)$$

● 두 사건 A, B가 서로 독립 이면

$$\mathrm{P}(B|A)=\mathrm{P}(B|A^c)$$
$$=\mathrm{P}(B)$$

● 두 사건 A, B가 서로 독립 이면 A와 B^c, A^c과 B, A^c 과 B^c도 각각 서로 독립이다.

04

연·산·유·형

정답과 해설 **23**쪽

유형 05　사건의 독립과 종속의 판정

[037~039] 한 개의 주사위를 던져서 나오는 눈의 수가 짝수인 사건을 A, 3의 배수인 사건을 B, 2의 약수인 사건을 C라고 할 때, 다음 두 사건이 서로 독립인지 종속인지 말하시오.

037　A와 B

$\mathrm{P}(A)=\boxed{}$, $\mathrm{P}(B)=\boxed{}$, $\mathrm{P}(A\cap B)=\boxed{}$이므로

$\mathrm{P}(A\cap B)\,\boxed{}\,\mathrm{P}(A)\mathrm{P}(B)$

따라서 두 사건 A와 B는 서로 $\boxed{}$이다.

038　B와 C

039　A와 C

[040~042] 1부터 10까지의 자연수가 각각 하나씩 적힌 10장의 카드 중에서 임의로 1장을 뽑을 때, 카드에 적힌 수가 홀수인 사건을 A, 3의 배수인 사건을 B, 10의 약수인 사건을 C라고 하자. 다음 두 사건이 서로 독립인지 종속인지 말하시오.

040　A와 B

041　B와 C

042　A와 C

유형06 **독립인 사건의 확률의 계산**

[043~048] 두 사건 A, B가 서로 독립이고
$$P(A)=\frac{2}{5},\ P(B)=\frac{1}{2}$$
일 때, 다음을 구하시오.

043 $P(A|B)$

044 $P(B|A)$

045 $P(A\cap B)$

046 $P(A|B^c)$

047 $P(B^c|A^c)$

048 $P(A^c\cap B)$

[049~054] 두 사건 A, B가 서로 독립이고
$$P(B|A)=0.3,\ P(A|B)=0.4$$
일 때, 다음을 구하시오.

049 $P(A)$

050 $P(B)$

051 $P(A\cap B)$

052 $P(A\cap B^c)$

053 $P(A^c\cap B)$

054 $P(A^c\cup B^c)$

유형 07　독립인 사건의 확률의 곱셈정리

[055~056] 주사위 1개와 동전 1개를 동시에 던질 때, 다음을 구하시오.

055 주사위는 짝수의 눈이 나오고, 동전은 뒷면이 나올 확률

056 주사위는 5의 약수의 눈이 나오고, 동전은 앞면이 나올 확률

[057~058] 진영이가 두 시험 A, B에 합격할 확률이 각각 50 %, 20 %일 때, 다음을 구하시오.

057 두 시험에 모두 합격할 확률

058 시험 A는 합격하고, 시험 B는 불합격할 확률

[059~061] 다음을 구하시오.

059 명중률이 각각 0.8, 0.6인 두 사격 선수 A, B가 과녁에 총을 한 발씩 쏠 때, 적어도 1명은 명중시킬 확률

두 선수 A, B가 명중시키는 사건을 각각 A, B라고 하면 두 사건 A, B는 서로 독립이므로
$P(A \cap B) = P(A)P(B) = \boxed{}$
따라서 구하는 확률은
$P(A \cup B) = P(A) + P(B) - P(A \cap B) = \boxed{}$
[다른 풀이]
두 사건 A^c, B^c은 서로 독립이므로 두 선수 중 어느 한 선수도 명중시키지 못하는 확률은
$P(A^c \cap B^c) = P(A^c)P(B^c) = \boxed{}$
따라서 구하는 확률은
$1 - P(A^c \cap B^c) = \boxed{}$

060 두 식물 A, B가 일 년 후 생존할 확률이 각각 $\dfrac{3}{4}$, $\dfrac{2}{3}$일 때, 일 년 후 적어도 하나의 식물은 생존할 확률

061 자유투 성공률이 각각 $\dfrac{1}{2}$, $\dfrac{3}{5}$인 두 농구 선수 A, B가 한 번씩 자유투를 던질 때, 적어도 1명은 성공할 확률

04

(1) 독립시행

어떤 시행을 반복할 때, 각 시행에서 일어나는 사건이 서로 독립이면 이와 같은 시행을 **독립시행**이라고 한다.

예 동전이나 주사위 등을 여러 번 반복하여 던지는 경우 독립시행이다.

(2) 독립시행의 확률

어떤 시행에서 사건 A가 일어날 확률이 $p(0<p<1)$일 때, 이 시행을 n번 반복하는 독립시행에서 사건 A가 r번 일어날 확률은

$$_n\mathrm{C}_r\,p^r(1-p)^{n-r}\ (단,\ r=0,\ 1,\ 2,\ \cdots,\ n)$$

└→ n번의 시행에서 사건 A가 r번 일어나는 경우의 수

● 독립시행에서는 각 시행에서 일어나는 사건들이 서로 독립이므로 독립시행의 확률은 각 사건이 일어날 확률을 곱하여 구한다.

연.산.유.형

정답과 해설 **25쪽**

유형 08 **독립시행의 확률**

[062~064] 한 개의 주사위를 4번 던질 때, 다음을 구하시오.

062 소수의 눈이 3번 나올 확률

주사위를 1번 던져서 소수의 눈이 나오는 사건을 A라고 하면

$\mathrm{P}(A)=\boxed{}$

각 시행은 서로 독립이므로 구하는 확률은

$_4\mathrm{C}_3\left(\boxed{}\right)^3\left(\boxed{}\right)^1=\boxed{}$

063 3의 배수의 눈이 2번 나올 확률

064 6의 약수의 눈이 1번 나올 확률

[065~067] 어느 양궁 선수가 과녁의 10점을 맞힐 확률이 $\dfrac{1}{4}$일 때, 다음을 구하시오.

065 이 선수가 화살 3발을 쏠 때, 과녁의 10점에 2발을 맞힐 확률

066 이 선수가 화살 4발을 쏠 때, 과녁의 10점에 2발을 맞힐 확률

067 이 선수가 화살 5발을 쏠 때, 과녁의 10점에 2발을 맞힐 확률

PLUS⁺
유형 09 **독립시행의 확률 – 합사건**

TIP 독립시행에서 '이상', '이하'의 조건이 있거나 우승자를 정하는 등 경우를 나누어 생각해야 할 때, 각 경우의 확률을 구한 후 더한다.

[068~070] 정답을 맞힐 확률이 $\frac{1}{5}$인 객관식 문제로 구성된 시험이 있을 때, 다음을 구하시오.

068 4문제가 출제된 이 시험에서 3문제 이상 맞힐 확률

(i) 4문제 중에서 3문제를 맞힐 확률은

$${}_4C_3\left(\boxed{}\right)^3\left(\boxed{}\right)^1=\boxed{}$$

(ii) 4문제 모두 맞힐 확률은

$${}_4C_4\left(\boxed{}\right)^4\left(\boxed{}\right)^0=\boxed{}$$

(i), (ii)에 의하여 구하는 확률은

$$\boxed{}+\boxed{}=\boxed{}$$

069 3문제가 출제된 이 시험에서 2문제 이상 맞힐 확률

070 5문제가 출제된 이 시험에서 3문제 이상 맞힐 확률

[071~073] 두 사람 A, B가 가위바위보를 할 때, 다음을 구하시오. (단, 두 사람이 이길 확률은 서로 같고, 비기는 경우는 생각하지 않는다.)

071 먼저 3번 이기는 사람을 최종 우승자로 결정할 때, 가위바위보를 5번 하여 우승자가 결정될 확률

각 가위바위보에서 A가 이길 확률은 $\boxed{}$, B가 이길 확률은 $\boxed{}$이다.

(i) A가 우승자가 되는 경우
A가 네 번째까지는 2번 이기고 다섯 번째에서 이겨야 하므로

$${}_4C_2\left(\boxed{}\right)^2\left(\boxed{}\right)^2\times\boxed{}=\boxed{}$$

(ii) B가 우승자가 되는 경우
B가 네 번째까지는 2번 이기고 다섯 번째에서 이겨야 하므로

$${}_4C_2\left(\boxed{}\right)^2\left(\boxed{}\right)^2\times\boxed{}=\boxed{}$$

(i), (ii)에 의하여 구하는 확률은

$$\boxed{}+\boxed{}=\boxed{}$$

072 먼저 3번 이기는 사람을 최종 우승자로 결정할 때, 가위바위보를 4번 하여 우승자가 결정될 확률

073 먼저 4번 이기는 사람을 최종 우승자로 결정할 때, 가위바위보를 5번 하여 우승자가 결정될 확률

04

연산 유형 최종 점검하기

1 두 사건 A, B에 대하여
$$P(A)=0.3, \ P(B)=0.5, \ P(A \cap B)=0.1$$
일 때, $P(B|A)-P(A|B)$의 값은?

① $-\dfrac{2}{15}$ ② $\dfrac{1}{15}$ ③ $\dfrac{2}{15}$

④ $\dfrac{1}{5}$ ⑤ $\dfrac{1}{2}$

2 두 사건 A, B가 서로 배반사건이고
$$P(A)=\dfrac{1}{3}, \ P(B)=\dfrac{1}{4}$$
일 때, $P(A|B^c)$을 구하시오.

3 1, 3, 5, 7, 9의 숫자가 각각 하나씩 적힌 노란 공 5개와 2, 4, 6, 8의 숫자가 각각 하나씩 적힌 파란 공 4개가 들어 있는 주머니가 있다. 이 주머니에서 임의로 꺼낸 1개의 공이 노란색일 때, 그 공에 적힌 숫자가 3의 배수일 확률을 구하시오.

4 어느 미술관 입장객 160명 중에서 A 전시회만 관람한 사람은 64명, B 전시회만 관람한 사람은 52명, 두 전시회 모두 관람한 사람은 16명, 두 전시회 모두 관람하지 않은 사람은 28명이다. 입장객 160명 중에서 임의로 택한 1명이 A 전시회를 관람하였을 때, 그 사람이 B 전시회도 관람하였을 확률을 구하시오.

5 학생 20명으로 구성된 어느 동아리에 여학생은 13명이 있다. 이 동아리에서 임의로 1명씩 차례로 2명을 뽑을 때, 뽑힌 2명이 모두 여학생일 확률을 구하시오.

6 어느 축구 팀은 비가 올 때 이길 확률이 0.3이고 비가 오지 않을 때 이길 확률이 0.7이다. 이번 경기를 하는 날에 비가 올 확률이 0.4라고 할 때, 이 팀이 이길 확률은?

① 0.12   ② 0.3   ③ 0.42

④ 0.5   ⑤ 0.54

7 100원짜리 동전 1개와 500원짜리 동전 1개를 동시에 던 졌을 때, 100원짜리 동전의 앞면이 나오는 사건을 A, 500원짜리 동전의 뒷면이 나오는 사건을 B, 두 동전 모 두 앞면이 나오는 사건을 C, 두 동전이 서로 다른 면이 나오는 사건을 D라고 하자. 다음 보기 중 서로 독립인 사건만을 있는 대로 고르시오.

┤ **보기** ├
ㄱ. A와 B ㄴ. A와 D
ㄷ. B와 C ㄹ. C와 D

8 두 사건 A, B가 서로 독립이고
$$\mathrm{P}(B|A)=0.4,\ \mathrm{P}(A|B)=0.5$$
일 때, $\mathrm{P}(A^c \cap B)$는?

① 0.1   ② 0.2   ③ 0.24
④ 0.3   ⑤ 0.42

9 어느 수학 시험에서 1번 문제의 정답률은 80 %, 2번 문 제의 정답률은 60 %이다. 수학 시험에 응시한 어떤 한 학 생이 1번 문제는 맞히고, 2번 문제는 틀릴 확률을 구하 시오.

10 A 주머니에는 빨간 구슬 4개, 초록 구슬 6개가 들어 있 고, B 주머니에는 빨간 구슬 2개, 초록 구슬 3개가 들어 있다. 두 주머니 A, B에서 임의로 구슬을 각각 1개씩 꺼낼 때, 빨간 구슬과 초록 구슬이 1개씩 나올 확률을 구하시오.

11 A 도시는 6월 한 달 중에서 비가 오는 날이 평균 12일이 다. 이 도시로 4일 동안 여행을 가려고 할 때, 여행 중 하 루는 비가 오고 3일은 비가 오지 않을 확률을 구하시오.

12 승부차기 성공률이 $\dfrac{1}{3}$인 축구 선수가 있다. 이 선수가 승 부차기를 4번 시도할 때, 3번 이상 성공할 확률은?

① $\dfrac{8}{81}$ ② $\dfrac{1}{9}$ ③ $\dfrac{4}{27}$
④ $\dfrac{13}{81}$ ⑤ $\dfrac{5}{27}$

05

이산확률변수와
이항분포

AM

05 이산확률변수와 이항분포

05-1 확률변수와 확률분포

(1) **확률변수**

어떤 시행에서 표본공간의 각 원소에 단 하나의 실수를 대응시키는 관계를 **확률변수**라 하고, 확률변수 X가 어떤 값 x를 가질 확률을 기호 $\mathrm{P}(X=x)$로 나타낸다.

> 확률변수는 표본공간을 정의역으로 하고, 실수 전체의 집합을 공역으로 하는 함수이다.

참고 확률변수는 보통 X, Y, Z, …로 나타내고, 확률변수가 가지는 값은 x, y, z, …로 나타낸다.

(2) **확률분포**

확률변수 X가 가지는 값과 X가 이 값을 가질 확률의 대응 관계를 X의 **확률분포**라고 한다.

연.산.유.형

정답과 해설 **27**쪽

유형 01 확률변수와 확률분포

[001~003] 한 개의 동전을 2번 던지는 시행에서 앞면이 나오는 횟수를 확률변수 X라고 할 때, 다음 물음에 답하시오.

001 첫 번째 던진 동전은 앞면이 나오고 두 번째 던진 동전은 뒷면이 나오는 것을 HT로 나타낼 때, 이 시행의 표본공간 S를 구하시오.

$S=\{\boxed{}, \mathrm{HT}, \boxed{}, \boxed{}\}$

002 X가 가지는 값을 모두 구하시오.

003 X의 확률분포를 나타낸 다음 표를 완성하시오.

X	0	$\boxed{}$	$\boxed{}$	합계
$\mathrm{P}(X=x)$	$\boxed{}$	$\dfrac{1}{2}$	$\boxed{}$	1

[004~006] 파란 공 2개와 빨간 공 3개가 들어 있는 주머니에서 임의로 2개를 동시에 꺼내는 시행에서 파란 공이 나오는 개수를 확률변수 X라고 할 때, 다음 물음에 답하시오.

004 파란 공과 빨간 공이 1개씩 나오는 것을 BR로 나타낼 때, 이 시행의 표본공간 S를 구하시오.

$S=\{\boxed{}, \mathrm{BR}, \boxed{}\}$

005 X가 가지는 값을 모두 구하시오.

006 X의 확률분포를 나타낸 다음 표를 완성하시오.

X	$\boxed{}$	$\boxed{}$	$\boxed{}$	합계
$\mathrm{P}(X=x)$	$\boxed{}$	$\boxed{}$	$\boxed{}$	1

(1) 이산확률변수

확률변수가 가지는 값이 유한개이거나 무한히 많더라도 자연수와 같이 일일이 셀 수
있을 때, 그 확률변수를 **이산확률변수**라고 한다.

● 확률변수 X가 가지는 값은 무한히 많을 수 있지만 여기서는 유한개인 경우만 다룬다.

(2) 확률질량함수

이산확률변수 X가 가지는 모든 값 x_1, x_2, x_3, $\cdots$, x_n과 X가 이 값들을 가질 확률
p_1, p_2, p_3, $\cdots$, p_n의 대응 관계를 나타내는 함수

$$\mathrm{P}(X=x_i)=p_i \ (i=1, 2, 3, \cdots, n)$$

를 X의 **확률질량함수**라고 한다.

● 확률변수 X가 a 이상 b 이하의 값을 가질 확률을
$$\mathrm{P}(a \leq X \leq b)$$
와 같이 나타낸다.

(3) 확률질량함수의 성질

이산확률변수 X의 확률질량함수가 $\mathrm{P}(X=x_i)=p_i(i=1, 2, 3, \cdots, n)$일 때

① $0 \leq p_i \leq 1$ ◀ $0 \leq$ (확률) ≤ 1

② $p_1+p_2+p_3+\cdots+p_n=1$ ◀ 확률의 총합은 1이다.

③ $\mathrm{P}(x_i \leq X \leq x_j)=p_i+p_{i+1}+p_{i+2}+\cdots+p_j$ (단, $i \leq j$, $j=1, 2, 3, \cdots, n$)

● $\mathrm{P}(X=a$ 또는 $X=b)$
$=\mathrm{P}(X=a)+\mathrm{P}(X=b)$

연·산·유·형

정답과 해설 **27**쪽

유형02 이산확률변수의 판정

[007~010] 다음 확률변수가 이산확률변수인지 아닌지 말하시오.

007 한 개의 주사위를 5번 던질 때, 홀수의 눈이 나오는
횟수

008 2명이 가위바위보를 3번 할 때, 비기는 횟수

009 어느 역에서 10분 간격으로 도착하는 지하철을 기
다리는 시간

010 우리나라에서 갓 태어난 아기의 몸무게

유형03 확률질량함수

[011~012] 불량품 4개를 포함한 6개의 제품 중에서 임의로 2개
를 동시에 택할 때, 나오는 불량품의 개수를 확률변수 X라고 하
자. 다음 물음에 답하시오.

011 X의 확률질량함수를 구하시오.

> 확률변수 X가 가지는 값은 0, 1, 2이다.
> 이때 제품 6개 중에서 2개를 택하는 경우의 수는
> $_6\mathrm{C}_{\square}$
> 택한 제품 중에서 불량품이 x개인 경우의 수는
> $_4\mathrm{C}_{\square} \times {}_{\square}\mathrm{C}_{2-x}$
> 따라서 확률변수 X의 확률질량함수는
> $$\mathrm{P}(X=x)=\frac{{}_4\mathrm{C}_{\square} \times {}_{\square}\mathrm{C}_{2-x}}{{}_6\mathrm{C}_{\square}} \ (x=0, 1, 2)$$

012 X의 확률분포를 나타낸 다음 표를 완성하시오.

X	$\square$	$\square$	$\square$	합계
$\mathrm{P}(X=x)$	$\square$	$\square$	$\square$	1

[013~015] 다음 확률변수 X의 확률분포를 나타낸 표를 완성하시오.

013 한 개의 동전을 3번 던질 때, 앞면이 나오는 횟수 X

X	□	□	□	□	합계
$P(X=x)$	□	□	□	□	1

014 사탕 3개와 젤리 2개가 들어 있는 상자에서 임의로 2개를 동시에 꺼낼 때, 꺼낸 사탕의 개수 X

X	□	□	□	합계
$P(X=x)$	□	□	□	1

015 남학생 3명, 여학생 4명 중에서 임의로 3명의 대표를 뽑을 때, 뽑힌 남학생의 수 X

X	□	□	□	□	합계
$P(X=x)$	□	□	□	□	1

[016~020] 확률변수 X의 확률분포가 아래 표와 같을 때, 다음을 구하시오.

X	1	2	3	4	합계
$P(X=x)$	a	$\dfrac{3}{8}$	$2a$	$\dfrac{1}{4}$	1

016 상수 a의 값

확률의 총합은 1이므로

$$a+\frac{3}{8}+2a+\frac{1}{4}=\boxed{}$$

$$\therefore a=\boxed{}$$

017 $P(X=1 \text{ 또는 } X=2)$

018 $P(2\leq X\leq 3)$

019 $P(X\leq 3)$

020 $P(X\geq 2)$

[021~025] 확률변수 X의 확률분포가 아래 표와 같을 때, 다음을 구하시오.

X	0	1	2	3	4	합계
$P(X=x)$	$\dfrac{1}{3}$	$\dfrac{1}{4}$	a	b	$\dfrac{1}{6}$	1

021 상수 a, b에 대하여 $a+b$의 값

022 $P(X=0$ 또는 $X=4)$

023 $P(1 \leq X \leq 3)$

024 $P(X \leq 1)$

025 $P(X \geq 2)$

[026~029] 확률변수 X의 확률질량함수가 다음과 같을 때, 상수 k의 값을 구하시오.

026 $P(X=x)=kx$ $(x=1, 2, 3, 4)$

확률의 총합은 1이므로
$P(X=1)+P(X=\boxed{})+P(X=\boxed{})+P(X=4)=1$
$k+\boxed{}+\boxed{}+4k=1$
$\therefore k=\boxed{}$

027 $P(X=x)=k(x+1)$ $(x=1, 2, 3)$

028 $P(X=x)=kx^2$ $(x=1, 2, 3)$

029 $P(X=x)=\dfrac{k}{x(x+1)}$ $(x=1, 2, 3, 4, 5)$

[034~035] 1, 2, 3, 4, 5의 숫자가 각각 하나씩 적힌 5장의 카드 중에서 임의로 2장을 동시에 뽑을 때, 뽑힌 두 카드에 적힌 수의 차를 확률변수 X라고 하자. 다음을 구하시오.

034 $P(X^2-5X+6=0)$

$X^2-5X+6=0$에서 $X=2$ 또는 $X=\square$

두 카드에 적힌 수를 각각 a, $b(a \leq b)$라고 하면 순서쌍 (a, b)는

(i) 두 수의 차가 2인 경우

$(1, 3), (2, 4), (3, 5)$ ➡ $\square$가지

(ii) 두 수의 차가 3인 경우

$(1, 4), (2, 5)$ ➡ $\square$가지

$\therefore P(X=2)=\boxed{}$, $P(X=\square)=\boxed{}$

$\therefore P(X^2-5X+6=0)=P(X=2 \text{ 또는 } X=\square)$

$=P(X=2)+P(X=\square)$

$=\boxed{}$

유형 05 이산확률변수의 확률

[030~031] 1학년 학생 5명, 2학년 학생 3명 중에서 임의로 4명의 대표를 뽑을 때, 뽑힌 학생 중 1학년 학생의 수를 확률변수 X라고 하자. 다음을 구하시오.

030 $P(X \geq 3)$

확률변수 X가 가지는 값은 1, 2, 3, 4이고

$P(X=3)=\dfrac{_5C_\square \times _3C_\square}{_8C_4}=\boxed{}$

$P(X=4)=\dfrac{_5C_\square \times _3C_\square}{_8C_4}=\boxed{}$

$\therefore P(X \geq 3)=P(X=3)+P(X=4)=\boxed{}$

031 $P(2<X<4)$

035 $P(X^2-6X+8 \leq 0)$

[032~033] 검은 구슬 6개와 흰 구슬 4개가 들어 있는 상자에서 임의로 3개를 동시에 꺼낼 때, 꺼낸 구슬 중 검은 구슬의 개수를 확률변수 X라고 하자. 다음을 구하시오.

032 $P(X \leq 1)$

[036~037] 서로 다른 주사위 2개를 동시에 던져서 나오는 두 눈의 수의 합을 확률변수 X라고 할 때, 다음을 구하시오.

036 $P(X^2-11X+30=0)$

033 $P(1 \leq X<2)$

037 $P(X^2-9X+18<0)$

이산확률변수 X의 확률질량함수가 $\mathrm{P}(X=x_i)=p_i\,(i=1, 2, 3, \cdots, n)$일 때, X의 기댓값(평균), 분산, 표준편차는 다음과 같다.

(1) 기댓값(평균)

$$\mathrm{E}(X)=x_1p_1+x_2p_2+x_3p_3+\cdots+x_np_n$$

(2) 분산

$\mathrm{E}(X)=m$일 때,

$$\mathrm{V}(X)=\mathrm{E}((X-m)^2) \quad \blacktriangleleft \text{확률변수 } (X-m)^2\text{의 기댓값}$$
$$=(x_1-m)^2p_1+(x_2-m)^2p_2+\cdots+(x_n-m)^2p_n$$
$$=\mathrm{E}(X^2)-\{\mathrm{E}(X)\}^2 \quad \blacktriangleleft (X^2\text{의 기댓값})-(X\text{의 기댓값})^2$$

(3) 표준편차

$$\sigma(X)=\sqrt{\mathrm{V}(X)} \quad \blacktriangleleft \text{분산의 양의 제곱근}$$

● $\mathrm{E}(X)$의 E는 Expectation (기댓값)의 머리글자이다. 이 때 $\mathrm{E}(X)$는 평균을 뜻하는 mean의 머리글자 m으로 나타내기도 한다.

● $\mathrm{V}(X)$의 V는 Variance (분산)의 머리글자이다.

● $\sigma(X)$의 σ는 standard deviation(표준편차)의 머리글자 s에 해당하는 그리스 문자로, '시그마'라고 읽는다.

연.산.유.형

정답과 해설 **29**쪽

유형 06 | 이산확률변수의 평균, 분산, 표준편차 – 확률분포가 주어진 경우

[038~040] 확률변수 X의 확률분포가 아래 표와 같을 때, 다음을 구하시오.

X	1	2	3	합계
$\mathrm{P}(X=x)$	$\dfrac{1}{4}$	$\dfrac{1}{2}$	$\dfrac{1}{4}$	1

038 X의 기댓값(평균)

$$\mathrm{E}(X)=1\times\boxed{}+2\times\boxed{}+3\times\frac{1}{4}=\boxed{}$$

039 X의 분산

$$\mathrm{V}(X)=\mathrm{E}(\boxed{})-\{\mathrm{E}(X)\}^2$$
$$=\left(1^2\times\boxed{}+2^2\times\boxed{}+3^2\times\frac{1}{4}\right)-\boxed{}^2=\boxed{}$$

040 X의 표준편차

$$\sigma(X)=\sqrt{\mathrm{V}(X)}=\boxed{}$$

[041~043] 확률변수 X의 확률분포가 아래 표와 같을 때, 다음을 구하시오.

X	0	1	2	합계
$\mathrm{P}(X=x)$	$\dfrac{1}{6}$	$\dfrac{1}{3}$	$\dfrac{1}{2}$	1

041 X의 기댓값(평균)

042 X의 분산

043 X의 표준편차

[044~046] 확률변수 X의 확률분포가 아래 표와 같을 때, 다음을 구하시오.

X	0	1	2	3	합계
$P(X=x)$	$\frac{3}{8}$	$\frac{1}{8}$	$\frac{3}{8}$	$\frac{1}{8}$	1

044 X의 기댓값(평균)

045 X의 분산

046 X의 표준편차

[047~049] 확률변수 X의 확률분포가 아래 표와 같을 때, 다음을 구하시오. (단, a는 상수)

X	1	2	3	4	합계
$P(X=x)$	$\frac{1}{9}$	a	$\frac{2}{9}$	$\frac{4}{9}$	1

047 X의 기댓값(평균)

048 X의 분산

049 X의 표준편차

[050~052] 확률변수 X의 확률분포가 아래 표와 같을 때, 다음을 구하시오. (단, a는 상수)

X	1	2	3	4	합계
$P(X=x)$	a	$\frac{1}{5}$	$\frac{1}{5}$	$\frac{3}{10}$	1

050 X의 기댓값(평균)

051 X의 분산

052 X의 표준편차

유형07 **이산확률변수의 평균, 분산, 표준편차**
– 확률분포가 주어지지 않은 경우

[053~056] 서로 다른 주사위 2개를 동시에 던져서 홀수의 눈이
나오는 주사위의 개수를 확률변수 X라고 할 때, 다음 물음에 답
하시오.

053 X의 확률분포를 표로 나타내시오.

054 X의 평균을 구하시오.

055 X의 분산을 구하시오.

056 X의 표준편차를 구하시오.

[057~060] 검은 펜 3개와 빨간 펜 6개가 들어 있는 필통에서
임의로 2개를 동시에 꺼낼 때, 꺼낸 펜 중 검은 펜의 개수를 확률
변수 X라고 하자. 다음 물음에 답하시오.

057 X의 확률분포를 표로 나타내시오.

058 X의 평균을 구하시오.

059 X의 분산을 구하시오.

060 X의 표준편차를 구하시오.

[061~064] 1부터 5까지의 자연수가 각각 하나씩 적힌 5장의 카
드 중에서 임의로 3장을 동시에 뽑을 때, 뽑힌 카드 중 소수가 적
힌 카드의 개수를 확률변수 X라고 하자. 다음 물음에 답하시오.

061 X의 확률분포를 표로 나타내시오.

062 X의 평균을 구하시오.

063 X의 분산을 구하시오.

064 X의 표준편차를 구하시오.

이산확률변수 $aX+b$의 평균, 분산, 표준편차

이산확률변수 X와 임의의 두 상수 a, $b(a\neq0)$에 대하여

(1) $\mathrm{E}(aX+b)=a\mathrm{E}(X)+b$

(2) $\mathrm{V}(aX+b)=a^2\mathrm{V}(X)$

(3) $\sigma(aX+b)=|a|\sigma(X)$

● 왼쪽 성질은 이산확률변수뿐만 아니라 모든 확률변수에 대해서도 성립한다.

예 확률변수 X에 대하여 $\mathrm{E}(X)=3$, $\mathrm{V}(X)=4$일 때, 확률변수 $Y=2X+1$에 대하여

(1) $\mathrm{E}(Y)=\mathrm{E}(2X+1)=2\mathrm{E}(X)+1=2\times3+1=7$

(2) $\mathrm{V}(Y)=\mathrm{V}(2X+1)=2^2\mathrm{V}(X)=4\times4=16$

(3) $\sigma(Y)=\sigma(2X+1)=|2|\sigma(X)=2\sqrt{\mathrm{V}(X)}=2\times\sqrt4=4$

연.산.유.형

정답과 해설 **31**쪽

유형 08 **이산확률변수 $aX+b$의 평균, 분산, 표준편차 – X의 평균, 분산이 주어진 경우**

[065~068] 확률변수 X에 대하여 $\mathrm{E}(X)=4$, $\mathrm{V}(X)=9$일 때, 다음 확률변수 Y의 평균, 분산, 표준편차를 구하시오.

065 $Y=2X$

066 $Y=-4X$

067 $Y=3X-5$

068 $Y=-X+2$

[069~072] 확률변수 X의 평균이 10, 분산이 4일 때, 다음 확률변수 Y의 평균, 분산, 표준편차를 구하시오.

069 $Y=5X$

070 $Y=-\dfrac{1}{3}X$

071 $Y=2X+7$

072 $Y=-\dfrac{1}{2}X-1$

PLUS⁺
유형 09 이산확률변수 $aX+b$의 평균, 분산, 표준편차 – X의 평균, 분산이 주어지지 않은 경우

TIP 확률변수 X의 확률분포를 이용하여 X의 평균, 분산, 표준편차를 먼저 구한다.

[073~074] 확률변수 X의 확률분포가 아래 표와 같을 때, 다음 확률변수 Y의 평균, 분산, 표준편차를 구하시오.

X	0	1	2	3	합계
$P(X=x)$	$\dfrac{1}{8}$	$\dfrac{3}{8}$	$\dfrac{3}{8}$	$\dfrac{1}{8}$	1

073 $Y=X-3$

074 $Y=-X+1$

[075~076] 확률변수 X의 확률분포가 아래 표와 같을 때, 다음 확률변수 Y의 평균, 분산, 표준편차를 구하시오. (단, a는 상수)

X	0	1	2	3	합계
$P(X=x)$	a	a	$3a$	$5a$	1

075 $Y=5X-7$

076 $Y=-2X+9$

[077~078] 한 개의 주사위를 던져서 나오는 눈의 수를 확률변수 X라고 할 때, 다음 확률변수 Y의 평균, 분산, 표준편차를 구하시오.

077 $Y=4X+3$

078 $Y=6X-1$

[079~080] 검은 공 3개와 흰 공 2개가 들어 있는 상자에서 임의로 2개를 동시에 꺼낼 때, 꺼낸 공 중 검은 공의 개수를 확률변수 X라고 하자. 다음 확률변수 Y의 평균, 분산, 표준편차를 구하시오.

079 $Y=3X$

080 $Y=-5X+2$

(1) 이항분포

한 번의 시행에서 사건 A가 일어날 확률이 p일 때, n번의 독립시행에서 사건 A가 일어나는 횟수를 확률변수 X라고 하면 X의 확률질량함수는

$$P(X=x)={}_nC_x p^x q^{n-x} \ (\text{단, } x=0, 1, 2, \cdots, n, \ q=1-p)$$

이와 같은 확률분포를 **이항분포**라 하고, 기호 $\mathbf{B}(\boldsymbol{n}, \boldsymbol{p})$로 나타낸다.

(2) 이항분포의 평균, 분산, 표준편차

확률변수 X가 이항분포 $\mathrm{B}(n, p)$를 따를 때

① $\mathrm{E}(X)=np$

② $\mathrm{V}(X)=npq$ (단, $q=1-p$)

③ $\sigma(X)=\sqrt{npq}$

● $\mathrm{B}(n, p)$의 B는 Binomial distribution(이항분포)의 머리글자이다.

● 확률변수 X의 확률분포가 이항분포일 때, X는 이항분포를 따른다고 한다.

연·산·유·형

정답과 해설 32쪽

유형 10 이항분포

[081~086] 다음 확률변수 X가 이항분포를 따르는지 확인하고, 이항분포를 따르면 $\mathrm{B}(n, p)$ 꼴로 나타내시오.

081 한 개의 주사위를 5번 던질 때, 짝수의 눈이 나오는 횟수 X

082 한 개의 동전을 10번 던질 때, 앞면이 나오는 횟수 X

083 검은 공 2개와 흰 공 5개가 들어 있는 주머니에서 임의로 1개씩 2번 꺼낼 때, 꺼낸 공 중 검은 공의 개수 X
(단, 꺼낸 공은 다시 넣지 않는다.)

084 명중률이 $\dfrac{1}{3}$인 양궁 선수가 화살을 5번 쏠 때, 명중한 화살의 개수 X

085 한 번의 타석에서 안타를 칠 확률이 0.3인 야구 선수가 8번의 타석에서 안타를 치는 횟수 X

086 당첨 제비 3개를 포함한 20개의 제비 중에서 임의로 2개를 동시에 뽑을 때, 나오는 당첨 제비의 개수 X

유형 11 이항분포에서 확률 구하기

[087~088] 한 개의 주사위를 6번 던져서 4의 약수의 눈이 나오는 횟수를 확률변수 X라고 할 때, 다음을 구하시오.

087 $P(X=3)$

한 번의 시행에서 4의 약수의 눈이 나올 확률은 $\dfrac{1}{2}$이므로

확률변수 X는 이항분포 $B\left(6, \boxed{}\right)$을 따른다.

따라서 확률변수 X의 확률질량함수는

$P(X=x)={}_{\square}C_x\left(\boxed{}\right)^x\left(\boxed{}\right)^{6-x}$

$(x=0,\ 1,\ 2,\ 3,\ 4,\ 5,\ 6)$

$\therefore P(X=3)={}_{\square}C_3\left(\boxed{}\right)^3\left(\boxed{}\right)^{6-3}=\boxed{}$

088 $P(X=5)$

[089~090] 서로 다른 동전 2개를 동시에 던지는 시행을 5회 반복하여 2개 모두 뒷면이 나오는 횟수를 확률변수 X라고 할 때, 다음을 구하시오.

089 $P(X=2)$

090 $P(X=4)$

유형 12 이항분포의 평균, 분산, 표준편차

[091~095] 다음 이항분포를 따르는 확률변수 X의 평균, 분산, 표준편차를 구하시오.

091 $B\left(9, \dfrac{1}{3}\right)$

092 $B\left(20, \dfrac{2}{5}\right)$

093 $B\left(64, \dfrac{1}{4}\right)$

094 $B(100, 0.2)$

095 $B(125, 0.6)$

[096~098] 다음 확률변수 X에 대하여 $\mathrm{E}(X^2)$을 구하시오.

096 한 개의 주사위를 90번 던질 때, 5의 약수의 눈이 나오는 횟수 X

한 번의 시행에서 5의 약수의 눈이 나올 확률은 $\boxed{}$이므로 확률변수 X는 이항분포 $\mathrm{B}\Big(90,\ \boxed{}\Big)$을 따른다.

$\therefore \mathrm{E}(X)=90\times\boxed{}=\boxed{},$

$\mathrm{V}(X)=90\times\dfrac{1}{3}\times\boxed{}=\boxed{}$

따라서 $\mathrm{V}(X)=\mathrm{E}(X^2)-\{\mathrm{E}(X)\}^2$에서

$\mathrm{E}(X^2)=\mathrm{V}(X)+\{\mathrm{E}(X)\}^2=\boxed{}$

097 발아율이 10 %인 씨앗을 1000개 심을 때, 발아하는 씨앗의 개수 X

098 생산되는 제품의 20 %가 불량품인 어느 기계에서 생산된 제품 중 300개를 택할 때, 나오는 불량품의 개수 X

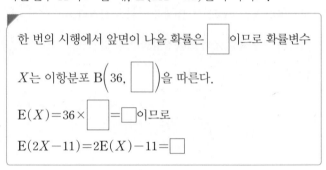

유형 13 **이항분포의 평균, 분산, 표준편차
 – 확률변수가 $aX+b$인 경우**

TIP 확률변수 X가 따르는 이항분포를 이용하여 X의 평균, 분산, 표준편차를 먼저 구한다.

[099~101] 다음 물음에 답하시오.

099 한 개의 동전을 36번 던져서 앞면이 나오는 횟수를 확률변수 X라고 할 때, $\mathrm{E}(2X-11)$을 구하시오.

한 번의 시행에서 앞면이 나올 확률은 $\boxed{}$이므로 확률변수 X는 이항분포 $\mathrm{B}\Big(36,\ \boxed{}\Big)$을 따른다.

$\mathrm{E}(X)=36\times\boxed{}=\boxed{}$이므로

$\mathrm{E}(2X-11)=2\mathrm{E}(X)-11=\boxed{}$

100 명중률이 70 %인 사격 선수가 200발을 쏘아 명중한 횟수를 확률변수 X라고 할 때, $\mathrm{V}(5X+4)$를 구하시오.

101 불량인 펜 2개를 포함하여 총 10개의 펜이 들어 있는 상자에서 펜을 1개 꺼내어 불량인지 확인하고 다시 넣는 시행을 100회 반복할 때, 불량인 펜이 나오는 횟수를 확률변수 X라고 하자. 이때 $\sigma(-3X+1)$을 구하시오.

최종 점검하기

1 서로 다른 주사위 2개를 동시에 던져서 나오는 두 눈의 수의 차를 확률변수 X라고 할 때, X가 가지는 모든 값의 합을 구하시오.

2 확률변수 X의 확률분포가 다음 표와 같을 때, 상수 a, b에 대하여 $a+b$의 값은?

X	0	1	2	3	합계
$P(X=x)$	a	$\dfrac{1}{6}$	b	$\dfrac{1}{3}$	1

① $\dfrac{1}{8}$ ② $\dfrac{1}{6}$ ③ $\dfrac{1}{4}$

④ $\dfrac{1}{3}$ ⑤ $\dfrac{1}{2}$

3 확률변수 X의 확률질량함수가
$$P(X=x)=k(x+2) \ (x=1, 2, 3)$$
일 때, 상수 k의 값은?

① $\dfrac{1}{15}$ ② $\dfrac{1}{12}$ ③ $\dfrac{1}{9}$

④ $\dfrac{1}{6}$ ⑤ $\dfrac{1}{5}$

4 파란 구슬 5개와 노란 구슬 3개가 들어 있는 주머니에서 임의로 3개를 동시에 꺼낼 때, 꺼낸 구슬 중 파란 구슬의 개수를 확률변수 X라고 하자. 이때 $P(X\leq2)$는?

① $\dfrac{11}{14}$ ② $\dfrac{45}{56}$ ③ $\dfrac{23}{28}$

④ $\dfrac{47}{56}$ ⑤ $\dfrac{6}{7}$

5 1, 2, 3, 4의 숫자가 각 면에 하나씩 적힌 정사면체 한 개를 2번 던질 때, 바닥에 놓인 면에 적힌 두 수의 차를 확률변수 X라고 하자. 이때 $P(X^2-6X+8\leq0)$을 구하시오.

6 확률변수 X의 확률분포가 다음 표와 같을 때, X의 표준편차를 구하시오. (단, a는 상수)

X	0	1	2	3	합계
$P(X=x)$	$\dfrac{1}{10}$	$\dfrac{1}{5}$	$\dfrac{3}{10}$	a	1

7 확률변수 X의 확률질량함수가
$$P(X=x)=kx^2 \ (x=-2,\ -1,\ 1,\ 2)$$
일 때, $V(X)$는? (단, k는 상수)

① $\dfrac{11}{5}$　　　　② $\dfrac{13}{5}$　　　　③ 3

④ $\dfrac{17}{5}$　　　　⑤ $\dfrac{19}{5}$

8 사과 2개와 키위 5개가 들어 있는 바구니에서 임의로 2개를 동시에 꺼낼 때, 꺼낸 과일 중 사과의 개수를 확률변수 X라고 하자. X의 기댓값은?

① $\dfrac{1}{21}$　　　　② $\dfrac{10}{21}$　　　　③ $\dfrac{4}{7}$

④ 1　　　　⑤ $\dfrac{22}{21}$

9 1부터 10까지의 자연수가 각각 하나씩 적힌 10개의 구슬이 들어 있는 주머니에서 임의로 3개를 동시에 꺼낼 때, 꺼낸 구슬 중 7의 약수가 적힌 구슬의 개수를 확률변수 X라고 하자. 이때 $\sigma(X)$를 구하시오.

10 확률변수 X의 평균이 8, 분산이 16일 때, 확률변수 $Y=-2X+1$의 평균과 분산의 합은?

① 16　　　　② 17　　　　③ 18
④ 48　　　　⑤ 49

11 확률변수 X에 대하여 $E(X)=3$, $E(X^2)=10$일 때, $\sigma(7X+13)$은?

① 5　　　　② 7　　　　③ 11
④ 15　　　　⑤ 21

12 확률변수 X의 확률분포가 다음 표와 같을 때, $V(5X-1)$을 구하시오. (단, a는 상수)

X	-3	-1	1	3	합계
$P(X=x)$	$4a$	$3a$	$2a$	a	1

13 어른 2명과 어린이 2명 중에서 임의로 2명을 동시에 택할 때, 택한 사람 중 어린이의 수를 확률변수 X라고 하자. 이때 $E(3X-4)$를 구하시오.

14 이항분포 $B\left(10, \dfrac{1}{2}\right)$을 따르는 확률변수 X에 대하여 $P(X \leq 2)$는?

① $\dfrac{13}{256}$ ② $\dfrac{7}{128}$ ③ $\dfrac{15}{256}$

④ $\dfrac{1}{16}$ ⑤ $\dfrac{17}{256}$

15 발아율이 $\dfrac{1}{3}$인 꽃씨 5개를 심어서 싹이 나는 꽃씨의 개수를 확률변수 X라고 할 때, $P(X \geq 4)$를 구하시오.

16 확률변수 X의 확률질량함수가
$$P(X=x)={}_{36}C_x\left(\frac{1}{3}\right)^x\left(\frac{2}{3}\right)^{36-x} (x=0, 1, 2, \cdots, 36)$$
일 때, $E(X)V(X)$를 구하시오.

17 한 개의 동전을 100번 던져서 앞면이 나오는 횟수를 확률변수 X라고 할 때, $E(X^2)$은?

① 50   ② 250   ③ 500

④ 2500   ⑤ 2525

18 명중률이 90%인 사격 선수가 400발을 쏘아 과녁에 명중한 횟수를 확률변수 X라고 할 때, $\sigma\left(\dfrac{1}{2}X+1\right)$은?

① 3   ② 6   ③ 9

④ 12   ⑤ 18

06

연속확률변수와
정규분포

AM

06 연속확률변수와 정규분포

06-1 연속확률변수와 확률밀도함수

(1) **연속확률변수**

화률변수가 어떤 범위에 속한 모든 실수의 값을 가질 때, 그 화률변수를 **연속화률변수**라고 한다.

(2) **확률밀도함수**

$\alpha \leq X \leq \beta$에 속한 모든 실수의 값을 가지는 연속확률변수 X에 대하여 $\alpha \leq x \leq \beta$에서 정의된 함수 $f(x)$가 다음 세 가지 성질을 만족할 때, 함수 $f(x)$를 화률변수 X의 **화률밀도함수**라고 한다.

① $f(x) \geq 0$

② $y=f(x)$의 그래프와 x축 및 두 직선 $x=\alpha$, $x=\beta$로 둘러싸인 부분의 넓이는 1이다.

③ $\mathrm{P}(a \leq X \leq b)$는 $y=f(x)$의 그래프와 x축 및 두 직선 $x=a$, $x=b$로 둘러싸인 부분의 넓이와 같다. (단, $\alpha \leq a \leq b \leq \beta$)

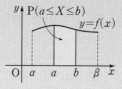

● 연속확률변수 X가 특정한 값을 가질 확률은 0이므로
$\mathrm{P}(a \leq X \leq b)$
$=\mathrm{P}(a \leq X < b)$
$=\mathrm{P}(a < X \leq b)$
$=\mathrm{P}(a < X < b)$

연.산.유.형

정답과 해설 36쪽

유형 01 연속확률변수의 판정

[001~004] 다음 확률변수가 이산확률변수인지 연속확률변수인지 말하시오.

001 어느 동아리에 가입한 학생들의 키

002 어느 반 학생들의 수학 점수

003 한 개의 주사위를 2번 던질 때, 짝수의 눈이 나오는 횟수

004 어느 마트에서 판매하는 사과의 무게

유형 02 확률밀도함수

[005~006] 다음 그림 중 $-1 \leq x \leq 1$에서 정의된 확률변수 X의 확률밀도함수의 그래프가 될 수 있는 것은 ○표, 될 수 없는 것은 ×표를 ( ) 안에 써넣으시오.

005

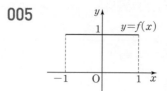

( )

006

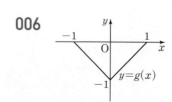

( )

[007~008] 확률변수 X의 확률밀도함수가
$$f(x)=a \ (-2 \leq x \leq 1)$$
일 때, 다음을 구하시오. (단, a는 상수)

007 $P(X \geq 0)$

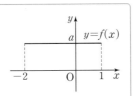

$f(x)=a \ (-2 \leq x \leq 1)$는 확률밀
도함수이므로 $a>0$이고
$y=f(x)$의 그래프는 오른쪽 그
림과 같다.
이때 $y=f(x)$의 그래프와 x축 및
두 직선 $x=-2$, $x=1$로 둘러싸인 부분의 넓이가 1이어
야 하므로
$$3 \times a = 1 \qquad \therefore a = \boxed{}$$

$$\therefore f(x) = \boxed{} \ (-2 \leq x \leq 1)$$

따라서 $P(X \geq 0)$은 오른쪽 그림
과 같이 직선 $y=\dfrac{1}{3}$과 x축 및 두
직선 $x=0$, $x=1$로 둘러싸인 부
분의 넓이와 같으므로
$$P(X \geq 0) = \boxed{}$$

008 $P(-1 \leq X \leq 1)$

[009~010] 확률변수 X의 확률밀도함수가
$$f(x)=ax \ (1 \leq x \leq 3)$$
일 때, 다음을 구하시오. (단, a는 상수)

009 $P(X \leq 2)$

010 $P\left(\dfrac{3}{2} \leq X \leq 3\right)$

[011~012] 확률변수 X의 확률밀도함수가
$$f(x)=a(4-x) \ (0 \leq x \leq 2)$$
일 때, 다음을 구하시오. (단, a는 상수)

011 $P(0 \leq X \leq 1)$

012 $P\left(X \geq \dfrac{1}{2}\right)$

[013~014] 확률변수 X의 확률밀도함수
$$y=f(x) \ (-2 \leq x \leq 2)$$
의 그래프가 다음 그림과 같을 때, $P(X \leq 1)$을 구하시오.
(단, a는 상수)

013

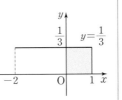

014

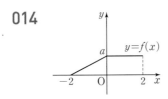

실수 전체의 집합에서 정의된 연속확률변수 X의 확률밀도
함수 $f(x)$가 두 상수 m, $\sigma(\sigma>0)$에 대하여

$$f(x)=\frac{1}{\sqrt{2\pi}\sigma}e^{-\frac{(x-m)^2}{2\sigma^2}}$$

일 때, X의 확률분포를 **정규분포**라 하고, 기호 $\mathrm{N}(m,\,\sigma^2)$으로 나타낸다.

이때 이 정규분포의 평균은 m, 분산은 σ^2임이 알려져 있다.

참고 e는 값이 $2.71828\cdots$인 무리수이다.

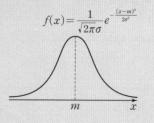

$$f(x)=\frac{1}{\sqrt{2\pi}\sigma}e^{-\frac{(x-m)^2}{2\sigma^2}}$$

● $\mathrm{N}(m,\,\sigma^2)$의 N은 Normal distribution(정규분포)의 머리글자이다.

● 확률변수 X의 확률분포가 정규분포일 때, X는 정규분포를 따른다고 한다.

연·산·유·형

정답과 해설 37쪽

유형 03 **정규분포**

[015~017] 평균과 분산이 다음과 같은 확률변수 X가 따르는 정규분포를 기호로 나타내시오.

015 $\mathrm{E}(X)=5$, $\mathrm{V}(X)=4$

016 $\mathrm{E}(X)=7$, $\mathrm{V}(X)=9$

017 $\mathrm{E}(X)=8$, $\mathrm{V}(X)=1$

[018~020] 확률변수 X가 정규분포 $\mathrm{N}(10,\,3^2)$을 따를 때, 다음 확률변수 Y가 따르는 정규분포를 기호로 나타내시오.

018 $Y=3X+2$

확률변수 X가 정규분포 $\mathrm{N}(10,\,3^2)$을 따르므로
$\mathrm{E}(X)=\square$, $\sigma(X)=\square$
확률변수 Y에 대하여
$\mathrm{E}(Y)=\mathrm{E}(3X+2)=3\mathrm{E}(X)+\square=\square$
$\sigma(Y)=\sigma(3X+2)=|3|\sigma(X)=\square$
따라서 확률변수 Y가 따르는 정규분포는
$\mathrm{N}(\square,\,\square^2)$

019 $Y=-X+3$

020 $Y=2X-4$

정규분포 $N(m, \sigma^2)$을 따르는 확률변수 X의 확률밀도함수의 그래프는

(1) 직선 $x=m$에 대하여 대칭인 종 모양의 곡선이고, 점근선은 x축이다.

(2) 그래프와 x축 사이의 넓이는 1이다.

(3) σ의 값이 일정할 때, m의 값이 변하면 대칭축의 위치는 변하지만 그래프의 모양은 변하지 않는다.

(4) m의 값이 일정할 때, σ의 값이 커지면 대칭축의 위치는 변하지 않지만 그래프의 모양은 높이가 낮아지고 양쪽으로 넓게 퍼진다.

σ의 값이 일정, $m_1<m_2<m_3$

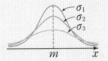

m의 값이 일정, $\sigma_1<\sigma_2<\sigma_3$

참고   정규분포를 따르는 확률변수 X에 대하여 확률 $P(a\leq X\leq b)$는 정규분포의 확률밀도함수의 그래프와 x축 및 두 직선 $x=a$, $x=b$로 둘러싸인 부분의 넓이와 같다. 이때
$$P(X\geq m)=P(X\leq m)=0.5$$

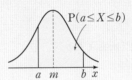

연·산·유·형

정답과 해설 **37**쪽

유형 04   정규분포의 확률밀도함수의 그래프

[021~022] 아래 그림에서 세 곡선 A, B, C는 각각 정규분포를 따르는 세 확률변수 X_A, X_B, X_C의 확률밀도함수의 그래프이다. 곡선 A와 곡선 B의 대칭축은 서로 같고, 곡선 C는 곡선 A를 평행이동한 것이다. X_A, X_B, X_C의 평균을 각각 m_A, m_B, m_C, 표준편차를 각각 σ_A, σ_B, σ_C라고 할 때, 다음의 대소를 비교하시오.

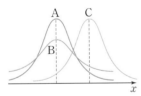

021 m_A, m_B, m_C

022 σ_A, σ_B, σ_C

[023~024] 두 학교 A, B의 학생들의 수학 성적은 각각 정규분포를 따르고 그 확률밀도함수의 그래프가 아래 그림과 같을 때, 다음 중 옳은 것은 ○표, 옳지 않은 것은 ×표를 ( ) 안에 써넣으시오.

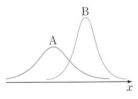

023   평균적으로 A 학교의 학생들보다 B 학교의 학생들의 수학 성적이 더 좋다.   (   )

024   A 학교의 학생들보다 B 학교의 학생들의 수학 성적이 더 고르다.   (   )

정규분포에서 확률 구하기

[025~029] 확률변수 X가 정규분포 $N(m, \sigma^2)$을 따르고
$$P(m \leq X \leq m+\sigma)=a, \ P(m \leq X \leq m+2\sigma)=b$$
일 때, 다음을 a, b를 사용하여 나타내시오.

025 $P(m-\sigma \leq X \leq m+2\sigma)$

오른쪽 그림과 같이 확률변수 X
의 확률밀도함수의 그래프는 직
선 $x=\boxed{}$에 대하여 대칭이므로
$P(m-\sigma \leq X \leq m+2\sigma)$
$=P(m-\boxed{} \leq X \leq m)$
$\qquad +P(m \leq X \leq m+\boxed{})$
$=P(m \leq X \leq m+\boxed{})+P(m \leq X \leq m+\boxed{})$
$=a+\boxed{}$

026 $P(m-\sigma \leq X \leq m+\sigma)$

027 $P(X \leq m+\sigma)$

028 $P(X \leq m-2\sigma)$

029 $P(m-2\sigma \leq X \leq m)+P(m+\sigma \leq X \leq m+2\sigma)$

[030~031] 확률변수 X가 정규분포 $N(m, \sigma^2)$을 따르고
$$P(m-\sigma \leq X \leq m+\sigma)=0.6826$$
일 때, 다음을 구하시오.

030 $P(m-\sigma \leq X \leq m)$

$P(m-\sigma \leq X \leq m+\sigma)=0.6826$에서
$P(m-\sigma \leq X \leq m)+P(m \leq X \leq m+\sigma)=0.6826$
$\boxed{}P(m-\sigma \leq X \leq m)=0.6826$
$\therefore P(m-\sigma \leq X \leq m)=\boxed{}$

031 $P(X \geq m+\sigma)$

[032~033] 확률변수 X가 정규분포 $N(m, \sigma^2)$을 따르고
$$P(X \geq m-0.5\sigma)=0.6915$$
일 때, 다음을 구하시오.

032 $P(X \leq m+0.5\sigma)$

033 $P(m-0.5\sigma \leq X \leq m+0.5\sigma)$

(1) 표준정규분포

평균이 0이고 분산이 1인 정규분포 $N(0, 1)$을 표준 정규분포라고 한다. 이때 확률변수 Z가 표준정규분포 $N(0, 1)$을 따르면 Z의 확률밀도함수는

$$f(z)=\frac{1}{\sqrt{2\pi}}e^{-\frac{z^2}{2}}$$

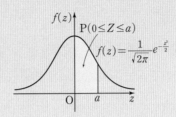

● 표준정규분포의 확률변수는 보통 Z로 나타낸다.

● $f(z)$의 그래프는 직선 $z=0$에 대하여 대칭이다.

(2) 표준정규분포에서의 확률

확률변수 Z가 표준정규분포를 따를 때, $0<a<b$인 상수 a, b에 대하여

① $P(-a\leq Z\leq 0)=P(0\leq Z\leq a)$

② $P(a\leq Z\leq b)=P(0\leq Z\leq b)-P(0\leq Z\leq a)$

③ $P(Z\geq a)=P(Z\geq 0)-P(0\leq Z\leq a)=0.5-P(0\leq Z\leq a)$

④ $P(Z\leq a)=P(Z\leq 0)+P(0\leq Z\leq a)=0.5+P(0\leq Z\leq a)$

⑤ $P(-a\leq Z\leq b)=P(-a\leq Z\leq 0)+P(0\leq Z\leq b)=P(0\leq Z\leq a)+P(0\leq Z\leq b)$

06

연·산·유·형

정답과 해설 **38**쪽

유형 06 표준정규분포표

[034~040] 확률변수 Z가 표준정규분포 $N(0, 1)$을 따를 때, 오른쪽 표준정규분포표를 이용하여 다음을 구하시오.

z	$P(0\leq Z\leq z)$
0.5	0.1915
1.0	0.3413
1.5	0.4332
2.0	0.4772
2.5	0.4938
3.0	0.4987

034 $P(-1\leq Z\leq 2)$

$$P(-1\leq Z\leq 2)=P(-1\leq Z\leq 0)+P(0\leq Z\leq \square)$$
$$=P(0\leq Z\leq 1)+P(0\leq Z\leq \square)$$
$$=0.3413+\boxed{}=\boxed{}$$

035 $P(-3\leq Z\leq 1.5)$

036 $P(-2\leq Z\leq -0.5)$

037 $P(Z\geq -2)$

038 $P(Z\geq 1.5)$

039 $P(Z\leq 3)$

040 $P(Z\leq -2.5)$

확률변수 X가 정규분포 $N(m, \sigma^2)$을 따를 때, 확률변수

$$Z = \frac{X-m}{\sigma}$$

은 표준정규분포 $N(0, 1)$을 따른다. 정규분포 $N(m, \sigma^2)$을 따르는 확률변수 X를 표준정규분포 $N(0, 1)$을 따르는 확률변수 Z로 바꾸는 것을 표준화라고 한다.

● 확률변수 X가 정규분포 $N(m, \sigma^2)$을 따르면 $P(a \le X \le b)$ $= P\left(\dfrac{a-m}{\sigma} \le Z \le \dfrac{b-m}{\sigma}\right)$

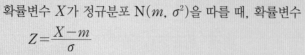
연·산·유·형

정답과 해설 **38**쪽

유형 07 정규분포의 표준화

[041~045] 확률변수 X가 다음과 같은 정규분포를 따를 때, X를 확률변수 Z로 표준화하시오.

041 $N(8, 2^2)$

042 $N(25, 3^2)$

043 $N\left(\dfrac{1}{2}, 4^2\right)$

044 $N\left(13, \dfrac{1}{3^2}\right)$

045 $N(50, 0.1^2)$

유형 08 표준정규분포에서 확률 구하기

[046~048] 확률변수 X가 정규분포 $N(15, 2^2)$을 따를 때, 오른쪽 표준정규분포표를 이용하여 다음을 구하시오.

z	$P(0 \le Z \le z)$
0.5	0.1915
1.0	0.3413
1.5	0.4332
2.0	0.4772

046 $P(12 \le X \le 14)$

$Z = \dfrac{X-15}{2}$라고 하면 확률변수 Z는 표준정규분포 $N(0, 1)$을 따르므로

$P(12 \le X \le 14) = P\left(\dfrac{12-15}{2} \le Z \le \dfrac{14-15}{2}\right)$

$\qquad = P(-1.5 \le Z \le -\square)$

$\qquad = P(\square \le Z \le 1.5)$

$\qquad = P(0 \le Z \le 1.5) - P(0 \le Z \le \square)$

$\qquad = 0.4332 - \square = \square$

047 $P(13 \le X \le 19)$

048 $P(X \ge 11)$

[049~050] 확률변수 X가 정규분포 $N(24, 3^2)$을 따를 때, 오른쪽 표준정규분포표를 이용하여 다음을 구하시오.

z	$P(0 \leq Z \leq z)$
1.0	0.3413
2.0	0.4772
3.0	0.4987

049 $P(15 \leq X \leq 27)$

050 $P(30 \leq X \leq 33)$

[051~052] 확률변수 X가 정규분포 $N(30, 10^2)$을 따를 때, 오른쪽 표준정규분포표를 이용하여 다음을 구하시오.

z	$P(0 \leq Z \leq z)$
1.5	0.4332
2.0	0.4772
2.5	0.4938
3.0	0.4987

051 $P(15 \leq X \leq 60)$

052 $P(X \leq 5)$

[053~055] 오른쪽 표준정규분포표를 이용하여 다음을 만족하는 상수 a의 값을 구하시오.

z	$P(0 \leq Z \leq z)$
0.5	0.1915
1.0	0.3413
1.5	0.4332
2.0	0.4772
2.5	0.4938
3.0	0.4987

053 확률변수 X가 정규분포 $N(35, 5^2)$을 따를 때, $P(X \geq a) = 0.0013$

$Z = \dfrac{X-35}{5}$라고 하면 확률변수 Z는 표준정규분포 $N(0, 1)$을 따르므로 $P(X \geq a) = 0.0013$에서

$P\left(Z \geq \dfrac{\square - 35}{5}\right) = 0.0013$

$P(Z \geq 0) - P\left(0 \leq Z \leq \dfrac{\square - 35}{5}\right) = 0.0013$

$0.5 - P\left(0 \leq Z \leq \dfrac{\square - 35}{5}\right) = 0.0013$

$\therefore P\left(0 \leq Z \leq \dfrac{\square - 35}{5}\right) = 0.4987$

이때 표준정규분포표에서 $P(0 \leq Z \leq \square) = 0.4987$이므로

$\dfrac{a-35}{5} = \square \qquad \therefore a = \square$

054 확률변수 X가 정규분포 $N(32, 4^2)$을 따를 때, $P(34 \leq X \leq a) = 0.2417$

055 확률변수 X가 정규분포 $N(100, 6^2)$을 따를 때, $P(X \leq a) = 0.9938$

PLUS+
유형 09 **정규분포의 활용**

TIP 확률변수 X를 표준화한 후 구하는 확률을 식으로 나타내어 푼다.

[056~060] 오른쪽 표준정규분포표를 이용하여 다음 물음에 답하시오.

z	$P(0 \leq Z \leq z)$
0.5	0.1915
1.0	0.3413
1.5	0.4332
2.0	0.4772

056 어느 고등학교 학생들의 키를 X cm라고 하면 확률변수 X는 정규분포 $N(170, 10^2)$을 따른다. 학생 한 명을 택할 때, 키가 175 cm 이상일 확률을 구하시오.

$Z = \dfrac{X-170}{\square}$이라고 하면 확률변수 Z는 표준정규분포 $N(0, 1)$을 따르므로 구하는 확률은

$$P(X \geq 175) = P\left(Z \geq \dfrac{175-170}{\square}\right)$$
$$= P(Z \geq \square)$$
$$= P(Z \geq 0) - P(0 \leq Z \leq \square)$$
$$= 0.5 - \boxed{} = \boxed{}$$

057 어느 농장에서 수확하는 사과 한 개의 무게를 X g이라고 하면 확률변수 X는 정규분포 $N(100, 8^2)$을 따른다. 사과 한 개를 택할 때, 무게가 116 g 이상일 확률을 구하시오.

058 어느 공장에서 생산하는 막대 과자의 길이를 X cm라고 하면 확률변수 X는 정규분포 $N(12, 2^2)$을 따른다. 막대 과자 한 개를 택할 때, 길이가 13 cm 이하일 확률을 구하시오.

059 어느 가게에서 판매하는 음료 한 잔의 양을 X ml라고 하면 확률변수 X는 정규분포 $N(200, 5^2)$을 따른다. 음료 한 잔을 살 때, 음료의 양이 195 ml 이상 210 ml 이하일 확률을 구하시오.

060 집에서 학교까지 등교하는 데 걸리는 시간을 X분이라고 하면 확률변수 X는 정규분포 $N(20, 4^2)$을 따른다. 수업 시작 26분 전에 집에서 출발할 때, 지각할 확률을 구하시오.

[061~063] 어느 고등학교 학생들의 제자리멀리뛰기 기록은 평균 130 cm, 표준편차 20 cm인 정규분포를 따른다고 한다. 오른쪽 표준정규분포표를 이용하여 다음 물음에 답하시오.

z	$P(0 \leq Z \leq z)$
0.5	0.1915
1.0	0.3413
1.5	0.4332
2.0	0.4772

061 기록이 110 cm 이상인 학생은 전체의 몇 %인지 구하시오.

062 기록이 140 cm 이상 170 cm 이하인 학생은 전체의 몇 %인지 구하시오.

063 기록이 100 cm 이하인 학생을 재평가한다고 할 때, 재평가를 받는 학생은 전체의 몇 %인지 구하시오.

[064~066] 어느 공장에서 생산하는 제품 한 개의 무게는 평균 20 g, 표준편차 5 g인 정규분포를 따른다고 한다. 이 공장에서 제품 10000개를 생산하였을 때, 오른쪽 표준정규분포표를 이용하여 다음을 구하시오.

z	$P(0 \leq Z \leq z)$
1.0	0.3413
2.0	0.4772
3.0	0.4987

064 무게가 15 g 이하인 제품의 개수

065 무게가 35 g 이상인 제품의 개수

066 무게가 10 g 이상 30 g 이하인 제품을 정상 제품으로 판매할 때, 정상 제품의 개수

확률변수 X가 이항분포 $\mathrm{B}(n,\ p)$를 따를 때, n이 충분히 크면 X는 근사적으로 정규분포 $\mathrm{N}(np,\ npq)$를 따른다. (단, $q=1-p$)

[참고] $np \geq 5$, $nq \geq 5$를 만족하면 n을 충분히 큰 값으로 생각한다.

연.산.유.형

정답과 해설 **40**쪽

유형 **10**   이항분포와 정규분포의 관계

[067~070] 확률변수 X가 다음 이항분포를 따를 때, X는 근사적으로 정규분포를 따른다. X가 따르는 정규분포를 기호로 나타내시오.

067 $\mathrm{B}\left(72,\ \dfrac{1}{3}\right)$

068 $\mathrm{B}\left(180,\ \dfrac{1}{6}\right)$

069 $\mathrm{B}\left(432,\ \dfrac{3}{4}\right)$

070 $\mathrm{B}\left(600,\ \dfrac{2}{5}\right)$

[071~072] 확률변수 X가 이항분포 $\mathrm{B}\left(48,\ \dfrac{3}{4}\right)$을 따를 때, 오른쪽 표준정규분포표를 이용하여 다음을 구하시오.

z	$\mathrm{P}(0 \leq Z \leq z)$
0.5	0.1915
1.0	0.3413
1.5	0.4332
2.0	0.4772
2.5	0.4938
3.0	0.4987

071 $\mathrm{P}(X \leq 27)$

확률변수 X가 이항분포 $\mathrm{B}\left(48,\ \dfrac{3}{4}\right)$을 따르므로

$\mathrm{E}(X)=\Box$, $\mathrm{V}(X)=\Box$

이때 확률변수 X는 근사적으로 정규분포 $\mathrm{N}(\Box,\ 3^2)$을 따르므로 $Z=\dfrac{X-\Box}{3}$이라고 하면 확률변수 Z는 표준정규분포 $\mathrm{N}(0,\ 1)$을 따른다.

$\therefore\ \mathrm{P}(X \leq 27)=\mathrm{P}\left(Z \leq \dfrac{27-\Box}{3}\right)$

$=\mathrm{P}(Z \leq -\Box)=\mathrm{P}(Z \geq \Box)$

$=\mathrm{P}(Z \geq 0)-\mathrm{P}(0 \leq Z \leq \Box)$

$=0.5-\Box=\Box$

072 $\mathrm{P}(34.5 \leq X \leq 40.5)$

PLUS⁺
유형 11 이항분포와 정규분포의 관계의 활용

TIP 확률변수 X가 따르는 이항분포를 구한 후 X가 근사적으로 따르는 정규분포를 이용하여 푼다.

[073~077] 오른쪽 표준정규분포표를 이용하여 다음을 구하시오.

z	$P(0 \leq Z \leq z)$
0.5	0.1915
1.0	0.3413
1.5	0.4332
2.0	0.4772
2.5	0.4938
3.0	0.4987

073 한 개의 동전을 64번 던질 때, 앞면이 22번 이하로 나올 확률

앞면이 나오는 횟수를 확률변수 X라고 하면 X는 이항분포 $B\left(\Box, \dfrac{1}{2}\right)$을 따르므로

$E(X) = \Box$, $V(X) = \Box$

이때 확률변수 X는 근사적으로 정규분포 $N(32, \Box^2)$을 따르므로 $Z = \dfrac{X-32}{\Box}$라고 하면 확률변수 Z는 표준정규분포 $N(0, 1)$을 따른다.

따라서 구하는 확률은

$P(X \leq 22) = P\left(Z \leq \dfrac{22-32}{\Box}\right)$

$= P(Z \leq -\Box) = P(Z \geq \Box)$

$= P(Z \geq 0) - P(0 \leq Z \leq \Box)$

$= 0.5 - \boxed{} = \boxed{}$

074 한 개의 주사위를 900번 던질 때, 소수의 눈이 495번 이하로 나올 확률

075 한 개의 주사위를 180번 던질 때, 3의 눈이 20번 이상 40번 이하로 나올 확률

076 질병의 치료율이 60 %인 어떤 치료제를 600명에게 투약할 때, 치료되는 환자의 수가 366명 이상일 확률

077 자유투 성공률이 80 %인 농구 선수가 100번의 자유투를 시도할 때, 76번 이상 성공할 확률

1 확률변수 X의 확률밀도함수 $y=f(x)\,(-1\leq x\leq1)$의 그래프가 오른쪽 그림과 같을 때, 상수 a의 값을 구하시오.

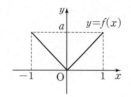

2 확률변수 X의 확률밀도함수가
$$f(x)=ax\ (0\leq x\leq2)$$
일 때, $P(X\leq1)$은? (단, a는 상수)

① $\dfrac{1}{8}$ ② $\dfrac{1}{4}$ ③ $\dfrac{3}{8}$

④ $\dfrac{1}{2}$ ⑤ $\dfrac{5}{8}$

3 오른쪽 그림에서 두 곡선 A, B는 각각 정규분포를 따르는 두 확률변수 X_A, X_B의 확률밀도함수의 그래프이다. 평균이 더 큰 곡선과 분산이 더 큰 곡선을 차례대로 쓰시오.

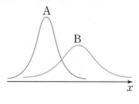

4 확률변수 X가 정규분포 $N(m,\sigma^2)$을 따르고
$$P(m-\sigma\leq X\leq m+\sigma)=a,$$
$$P(m-2\sigma\leq X\leq m+2\sigma)=b$$
일 때, $P(m+\sigma\leq X\leq m+2\sigma)$를 a, b를 사용하여 나타내면?

① $a-b$ ② $\dfrac{b-a}{2}$ ③ $b-a$

④ $\dfrac{a+b}{2}$ ⑤ $a+b$

5 확률변수 X가 정규분포 $N(m,\sigma^2)$을 따르고
$$P(X\geq m+2\sigma)=0.0228$$
일 때, $P(m-2\sigma\leq X\leq m+2\sigma)$를 구하시오.

6 확률변수 X가 정규분포 $N(m,6^2)$을 따르면 확률변수 $Z=\dfrac{X-20}{\sigma}$은 표준정규분포 $N(0,1)$을 따른다. 이때 상수 m, σ에 대하여 $m\sigma$의 값은? (단, $\sigma>0$)

① $\dfrac{3}{10}$ ② $\dfrac{10}{3}$ ③ 20

④ 36 ⑤ 120

7 확률변수 X가 정규분포
$N(60, 10^2)$을 따를 때,
$P(50 \leq X \leq 80)$을 오른쪽 표
준정규분포표를 이용하여 구
하시오.

z	$P(0 \leq Z \leq z)$
1.0	0.3413
2.0	0.4772
3.0	0.4987

10 어느 농장에서 당근 4000개를
수확하였다. 수확한 당근의 무
게는 평균 200 g, 표준편차
30 g인 정규분포를 따르고 무
게가 185 g 이하인 당근은 폐
기하려고 할 때, 폐기할 당근
의 개수를 위의 표준정규분포표를 이용하여 구하시오.

z	$P(0 \leq Z \leq z)$
0.5	0.1915
1.0	0.3413
1.5	0.4332
2.0	0.4772

8 확률변수 X가 정규분포 $N(12, 4^2)$을 따를 때,
$P(X \leq a) = 0.9332$를 만족하는 상수 a의 값은?
(단, $P(0 \leq Z \leq 1.5) = 0.4332$)

① 6 ② 10.5 ③ 13.5
④ 16 ⑤ 18

11 확률변수 X가 이항분포 $B\left(162, \dfrac{2}{3}\right)$를 따를 때,
$P(X \leq 114)$를 구하시오. (단, $P(0 \leq Z \leq 1) = 0.3413$)

9 어느 고등학교 학생들의 몸무게는 평균 60 kg, 표준편차
12 kg인 정규분포를 따른다고 한다. 이때 몸무게가
90 kg 이상인 학생은 전체의 몇 %인지 구하시오.
(단, $P(0 \leq Z \leq 2.5) = 0.4938$)

12 어느 공장에서 생산하는 장난
감의 10 %가 불량품이라고 한
다. 이 공장에서 생산한 장난
감 400개를 조사할 때, 불량품
이 46개 이상 58개 이하일 확
률을 위의 표준정규분포표를 이용하여 구하면?

z	$P(0 \leq Z \leq z)$
1.0	0.3413
2.0	0.4772
3.0	0.4987

① 0.0013 ② 0.1574 ③ 0.4772
④ 0.8413 ⑤ 0.9987

07

통계적 추정

AM

07 통계적 추정

07-1 모집단과 표본

(1) 모집단과 표본
  ① **모집단**: 통계 조사에서 조사의 대상이 되는 집단 전체
  ② **표본**: 모집단에서 뽑은 일부분

(2) 전수조사와 표본조사
  ① **전수조사**: 모집단 전체를 조사하는 것
  ② **표본조사**: 표본을 뽑아 조사하는 것
  참고 표본조사에서 뽑은 표본의 개수를 표본의 크기라고 한다.

(3) 임의추출
  모집단의 각 대상이 같은 확률로 추출되도록 표본을 추출하는 방법을 **임의추출**이라고 한다.
  참고 표본을 추출하는 방법에는 한 번 추출된 대상을 되돌려 놓은 후 다시 추출하는 복원추출과 추출된 대상을 되돌려 놓지 않고 다시 추출하는 비복원추출이 있다.

● 모집단에서 표본을 임의추출하기 위해서는 복원추출을 해야 하지만 모집단의 크기가 충분히 큰 경우에는 비복원추출도 임의추출로 볼 수 있다.

● 특별한 언급이 없으면 임의추출은 복원추출을 의미한다.

연·산·유·형

정답과 해설 43쪽

유형 01 표본의 추출

[001~005] 다음 조사가 전수조사인지 표본조사인지 말하시오.

001 우리나라의 총인구 조사

002 건전지의 수명 조사

003 병무청의 징병 신체검사

004 의약품의 임상 시험

005 선거 사전 여론조사

[006~008] 1부터 7까지의 자연수가 각각 하나씩 적힌 7장의 카드가 들어 있는 상자에서 임의로 카드를 꺼낼 때, 다음을 구하시오.

006 복원추출로 카드를 1장씩 2번 꺼내는 경우의 수

007 복원추출로 카드를 1장씩 3번 꺼내는 경우의 수

008 비복원추출로 카드를 1장씩 2번 꺼내는 경우의 수

(1) 모평균

모집단에서 조사하고자 하는 특성을 나타내는 확률변수를 X라고 할 때, X의 평균, 분산, 표준편차를 각각 **모평균, 모분산, 모표준편차**라 하고, 각각 기호 m, σ^2, σ로 나타낸다.

(2) 표본평균

모집단에서 크기가 n인 표본 X_1, X_2, X_3, $\cdots$, X_n을 임의추출할 때, 이들의 평균, 분산, 표준편차를 각각 **표본평균, 표본분산, 표본표준편차**라 하고, 각각 기호 $\overline{X}$, S^2, S로 나타낸다.

이때 $\overline{X}$, S^2, S는 다음과 같이 정의한다.

$$\overline{X} = \frac{1}{n}(X_1 + X_2 + X_3 + \cdots + X_n)$$

$$S^2 = \frac{1}{n-1}\{(X_1 - \overline{X})^2 + (X_2 - \overline{X})^2 + (X_3 - \overline{X})^2 + \cdots + (X_n - \overline{X})^2\}$$

$$S = \sqrt{S^2}$$

● 모평균 m은 상수이지만 표본평균 $\overline{X}$는 추출한 표본에 따라 다른 값을 가질 수 있으므로 확률변수이다.

● 표본분산을 정의할 때는 모분산과의 차이를 줄이기 위하여 편차의 제곱의 합을 $n-1$로 나눈다.

연·산·유·형

정답과 해설 **43**쪽

유형 02 모평균과 표본평균

[009~011] 다음과 같은 추출의 표본평균 $\overline{X}$의 확률분포를 표로 나타내시오.

009 모집단 $\{1, 3, 5\}$에서 크기가 2인 표본을 임의로 복원추출

표본의 합이 같은 경우로 나누어 표본평균 $\overline{X}$를 구한다.

(ⅰ) 표본이 $(1, 1)$인 경우 ➡ $\overline{X} = \boxed{}$

(ⅱ) 표본이 $(1, 3)$, $(3, 1)$인 경우 ➡ $\overline{X} = 2$

(ⅲ) 표본이 $(1, 5)$, $(3, \boxed{})$, $(5, 1)$인 경우 ➡ $\overline{X} = \boxed{}$

(ⅳ) 표본이 $(3, 5)$, $(5, 3)$인 경우 ➡ $\overline{X} = 4$

(ⅴ) 표본이 $(5, 5)$인 경우 ➡ $\overline{X} = 5$

따라서 표본평균 $\overline{X}$가 가지는 값은 $\boxed{}$, 2, $\boxed{}$, 4, 5이므로 $\overline{X}$의 확률분포를 표로 나타내면 다음과 같다.

$\overline{X}$	$\boxed{}$	2	$\boxed{}$	4	5	합계
$P(\overline{X} = \overline{x})$	$\frac{1}{9}$	$\frac{2}{9}$	$\frac{1}{3}$	$\boxed{}$	$\frac{1}{9}$	1

010 모집단 $\{1, 2\}$에서 크기가 2인 표본을 임의로 복원추출

011 모집단 $\{0, 2, 4\}$에서 크기가 2인 표본을 임의로 복원추출

모평균이 m이고 모분산이 σ^2인 모집단에서 크기가 n인 표본을 임의추출할 때, 표본평균 $\overline{X}$의 평균, 분산, 표준편차는

$$\mathrm{E}(\overline{X})=m, \ \mathrm{V}(\overline{X})=\frac{\sigma^2}{n}, \ \sigma(\overline{X})=\frac{\sigma}{\sqrt{n}}$$

예 모평균이 10, 모분산이 4인 모집단에서 크기가 16인 표본을 임의추출할 때, 표본평균 $\overline{X}$의 평균, 분산, 표준편차는

$$\mathrm{E}(\overline{X})=m=10$$
$$\mathrm{V}(\overline{X})=\frac{\sigma^2}{n}=\frac{4}{16}=\frac{1}{4}$$
$$\sigma(\overline{X})=\frac{\sigma}{\sqrt{n}}=\frac{2}{\sqrt{16}}=\frac{1}{2}$$

연.산.유.형

정답과 해설 **43**쪽

유형 03 **표본평균의 평균, 분산, 표준편차 – 모평균, 모표준편차가 주어진 경우**

[012~014] 모평균이 30, 모표준편차가 6인 모집단에서 다음과 같이 크기가 n인 표본을 임의추출할 때, 표본평균 $\overline{X}$의 평균, 분산, 표준편차를 구하시오.

012 $n=9$

$$\mathrm{E}(\overline{X})=\square$$
$$\mathrm{V}(\overline{X})=\frac{\square^2}{9}=\square$$
$$\sigma(\overline{X})=\frac{\square}{\sqrt{9}}=\square$$

013 $n=36$

014 $n=100$

[015~017] 다음 정규분포를 따르는 모집단에서 크기가 25인 표본을 임의추출할 때, 표본평균 $\overline{X}$의 평균, 분산, 표준편차를 구하시오.

015 $\mathrm{N}(8, \ 5^2)$

016 $\mathrm{N}(17, \ 7^2)$

017 $\mathrm{N}(121, \ 12^2)$

유형 04 표본평균의 평균, 분산, 표준편차
– 모집단의 확률분포가 주어진 경우

[018~020] 모집단의 확률변수 X의 확률분포를 표로 나타내면 다음과 같다. 이 모집단에서 크기가 9인 표본을 임의추출할 때, 표본평균 $\overline{X}$에 대하여 $E(\overline{X})$, $V(\overline{X})$를 구하시오. (단, a는 상수)

018

X	0	2	6	8	합계
$P(X=x)$	$\frac{1}{3}$	$\frac{1}{6}$	a	$\frac{1}{3}$	1

확률의 총합은 1이므로

$\frac{1}{3}+\frac{1}{6}+a+\frac{1}{3}=1$ $\therefore a=\boxed{}$

따라서 확률변수 X에 대하여

$E(X)=0\times\frac{1}{3}+2\times\frac{1}{6}+6\times\boxed{}+8\times\frac{1}{3}=\boxed{}$

$E(X^2)=0^2\times\frac{1}{3}+2^2\times\frac{1}{6}+6^2\times\boxed{}+8^2\times\frac{1}{3}=\boxed{}$

$\therefore V(X)=E(X^2)-\{E(X)\}^2=\boxed{}$

이때 표본의 크기가 9이므로

$E(\overline{X})=\boxed{}$, $V(\overline{X})=\boxed{}$

019

X	0	1	2	합계
$P(X=x)$	a	$\frac{1}{2}$	$\frac{1}{4}$	1

020

X	0	1	2	3	합계
$P(X=x)$	$2a$	$\frac{1}{8}$	a	$\frac{1}{8}$	1

[021~023] 모집단의 확률변수 X의 확률질량함수가 다음과 같다. 이 모집단에서 크기가 5인 표본을 임의추출할 때, 표본평균 $\overline{X}$에 대하여 $E(\overline{X})$, $V(\overline{X})$를 구하시오.

021 $P(X=x)=\dfrac{x}{6}$ $(x=1, 2, 3)$

확률변수 X의 확률분포를 표로 나타내면 다음과 같다.

X	1	2	$\boxed{}$	합계
$P(X=x)$	$\frac{1}{6}$	$\frac{1}{3}$	$\boxed{}$	1

따라서 확률변수 X에 대하여

$E(X)=1\times\frac{1}{6}+2\times\frac{1}{3}+3\times\frac{1}{2}=\boxed{}$

$E(X^2)=1^2\times\frac{1}{6}+2^2\times\frac{1}{3}+3^2\times\frac{1}{2}=6$

$\therefore V(X)=E(X^2)-\{E(X)\}^2=\boxed{}$

이때 표본의 크기가 5이므로

$E(\overline{X})=\boxed{}$, $V(\overline{X})=\boxed{}$

022 $P(X=x)=\dfrac{x}{12}$ $(x=2, 4, 6)$

023 $P(X=x)=\dfrac{x^2}{14}$ $(x=1, 2, 3)$

PLUS⁺
유형 05 표본평균의 평균, 분산, 표준편차의 활용

TIP 확률변수 X의 확률분포를 표로 나타낸 후 모평균, 모분산을 먼저 구한다.

[024~027] 다음 표본평균 $\overline{X}$에 대하여 $\mathrm{E}(\overline{X})$, $\mathrm{V}(\overline{X})$를 구하시오.

024 숫자 1이 적힌 구슬이 3개, 숫자 2가 적힌 구슬이 2개, 숫자 3이 적힌 구슬이 3개 들어 있는 주머니에서 크기가 2인 표본을 임의추출할 때, 구슬에 적힌 수의 평균 $\overline{X}$

주머니에서 구슬 1개를 임의로 꺼낼 때, 구슬에 적힌 수를 확률변수 X라 하고 X의 확률분포를 표로 나타내면 다음과 같다.

X	1	2	3	합계
$\mathrm{P}(X=x)$	☐	$\dfrac{1}{4}$	$\dfrac{3}{8}$	1

따라서 확률변수 X에 대하여

$$\mathrm{E}(X)=1\times\boxed{}+2\times\frac{1}{4}+3\times\frac{3}{8}=2$$

$$\mathrm{E}(X^2)=1^2\times\boxed{}+2^2\times\frac{1}{4}+3^2\times\frac{3}{8}=\boxed{}$$

$$\therefore \mathrm{V}(X)=\mathrm{E}(X^2)-\{\mathrm{E}(X)\}^2=\boxed{}$$

이때 표본의 크기가 2이므로

$$\mathrm{E}(\overline{X})=2, \ \mathrm{V}(\overline{X})=\boxed{}$$

025 한 개의 주사위를 2번 던져서 나온 눈의 수의 평균 $\overline{X}$

026 2, 4, 8의 숫자가 각각 하나씩 적힌 3개의 공이 들어 있는 주머니에서 크기가 2인 표본을 임의추출할 때, 공에 적힌 수의 평균 $\overline{X}$

027 1, 1, 1, 2, 3, 3의 숫자가 각각 하나씩 적힌 6장의 카드가 들어 있는 상자에서 크기가 3인 표본을 임의추출할 때, 카드에 적힌 수의 평균 $\overline{X}$

07-4 표본평균의 분포

모평균이 m이고 모분산이 σ^2인 모집단에서 크기가 n인 표본을 임의추출할 때, 표본평균 $\overline{X}$에 대하여 다음이 성립한다.

(1) 모집단이 정규분포 $N(m, \sigma^2)$을 따를 때, $\overline{X}$는 정규분포 $N\left(m, \dfrac{\sigma^2}{n}\right)$을 따른다.

(2) 모집단이 정규분포를 따르지 않을 때도 표본의 크기 n이 충분히 크면 $\overline{X}$는 근사적으로 정규분포 $N\left(m, \dfrac{\sigma^2}{n}\right)$을 따른다.
> ● $n \geq 30$을 만족하면 n을 충분히 큰 값으로 생각한다.

예 정규분포 $N(15, 8^2)$을 따르는 모집단에서 크기가 16인 표본을 임의추출할 때, 표본평균을 $\overline{X}$라고 하면 $\overline{X}$는 정규분포 $N\left(15, \dfrac{8^2}{16}\right)$, 즉 $N(15, 2^2)$을 따른다.

연.산.유.형

정답과 해설 45쪽

유형 06 표본평균의 확률

[028~030] 어느 제과점에서 만드는 빵 1개의 무게는 평균이 200 g, 표준편차가 50 g인 정규분포를 따른다고 한다. 이 제과점에서 만든 빵 중에서 임의추출한 빵 100개의 무게의 평균을 $\overline{X}$ g이라고 할 때, 오른쪽 표준정규분포표를 이용하여 다음을 구하시오.

z	$P(0 \leq Z \leq z)$
0.6	0.2257
1.0	0.3413
2.0	0.4772
3.0	0.4987

028 $P(195 \leq \overline{X} \leq 205)$

029 $P(\overline{X} \leq 185)$

030 $P(190 \leq \overline{X} \leq 197)$

[031~033] 어느 공장에서 생산하는 건전지 1개의 수명은 평균이 1000시간, 표준편차가 30시간인 정규분포를 따른다고 한다. 이 공장에서 생산한 건전지 중에서 임의추출한 건전지 9개의 수명의 평균을 $\overline{X}$시간이라고 할 때, 위의 표준정규분포표를 이용하여 다음을 구하시오.

z	$P(0 \leq Z \leq z)$
1.2	0.3849
1.6	0.4452
2.0	0.4772
2.4	0.4918

031 $P(988 \leq \overline{X} \leq 1020)$

032 $P(\overline{X} \leq 1016)$

033 $P(\overline{X} \geq 1012)$

(1) 추정

표본에서 얻은 정보를 이용하여 모평균, 모표준편차와 같은 모집단의 특성을 나타내는 값을 추측하는 것을 **추정**이라고 한다.

(2) 모평균의 신뢰구간

모집단이 정규분포 $N(m, \sigma^2)$을 따를 때, 크기가 n인 표본을 임의추출하여 구한 표본평균 $\overline{X}$의 실제 값이 $\overline{x}$이면 **신뢰도**에 따른 모평균 m에 대한 **신뢰구간**은 다음과 같다.

① 신뢰도 95 %의 신뢰구간: $\overline{x}-1.96\dfrac{\sigma}{\sqrt{n}} \leq m \leq \overline{x}+1.96\dfrac{\sigma}{\sqrt{n}}$

② 신뢰도 99 %의 신뢰구간: $\overline{x}-2.58\dfrac{\sigma}{\sqrt{n}} \leq m \leq \overline{x}+2.58\dfrac{\sigma}{\sqrt{n}}$

> **참고** 모평균의 신뢰구간의 길이
> ① 신뢰도 95 %: $2 \times 1.96\dfrac{\sigma}{\sqrt{n}}$ ② 신뢰도 99 %: $2 \times 2.58\dfrac{\sigma}{\sqrt{n}}$

● 신뢰도 95 %의 신뢰구간이란 크기가 n인 표본을 여러 번 임의추출하여 신뢰구간을 구하는 일을 반복할 때, 구한 신뢰구간 중에서 약 95 %는 모평균 m을 포함한다는 뜻이다.

연.산.유.형

정답과 해설 **45쪽**

유형 07   모평균의 추정

[034~036] 정규분포 $N(m, 6^2)$을 따르는 모집단에서 임의추출한 표본의 크기 n, 표본평균 $\overline{X}$의 값 $\overline{x}$가 다음과 같을 때, 모평균 m에 대한 신뢰도 95 %의 신뢰구간을 구하시오.

(단, $P(|Z| \leq 1.96)=0.95$)

034 $n=4, \overline{x}=38$

035 $n=16, \overline{x}=50$

036 $n=64, \overline{x}=88$

[037~039] 정규분포 $N(m, 12^2)$을 따르는 모집단에서 임의추출한 표본의 크기 n, 표본평균 $\overline{X}$의 값 $\overline{x}$가 다음과 같을 때, 모평균 m에 대한 신뢰도 99 %의 신뢰구간을 구하시오.

(단, $P(|Z| \leq 2.58)=0.99$)

037 $n=9, \overline{x}=44$

038 $n=36, \overline{x}=110$

039 $n=144, \overline{x}=240$

유형 08 모평균의 신뢰구간의 길이

[040~041] 정규분포 $N(m, 10^2)$을 따르는 모집단에서 크기가 25인 표본을 임의추출할 때, 다음과 같은 신뢰도로 추정한 모평균의 신뢰구간의 길이를 구하시오.

(단, $P(|Z| \leq 1.96) = 0.95$, $P(|Z| \leq 2.58) = 0.99$)

040 신뢰도 95 %

041 신뢰도 99 %

[042~043] 정규분포 $N(m, 21^2)$을 따르는 모집단에서 크기가 49인 표본을 임의추출할 때, 다음과 같은 신뢰도로 추정한 모평균의 신뢰구간의 길이를 구하시오.

(단, $P(|Z| \leq 1.96) = 0.95$, $P(|Z| \leq 2.58) = 0.99$)

042 신뢰도 95 %

043 신뢰도 99 %

유형 09 모평균의 표본의 크기

[044~046] 다음 물음에 답하시오.

044 표준편차가 7인 정규분포를 따르는 모집단에서 크기가 n인 표본을 임의추출하여 구한 표본평균이 20이었다. 모평균 m을 신뢰도 95 %로 추정한 신뢰구간이 $18.04 \leq m \leq 21.96$일 때, n의 값을 구하시오.

(단, $P(|Z| \leq 1.96) = 0.95$)

> 표본의 크기가 n, 표본평균이 20, 모표준편차가 7이므로 모평균 m에 대한 신뢰도 95 %의 신뢰구간은
>
> $$20 - 1.96 \times \frac{\square}{\sqrt{n}} \leq m \leq 20 + 1.96 \times \frac{\square}{\sqrt{n}}$$
>
> 이를 $18.04 \leq m \leq 21.96$과 비교하면
>
> $$1.96 \times \frac{\square}{\sqrt{n}} = 1.96, \ \sqrt{n} = \square$$
>
> $$\therefore \ n = \square$$

045 표준편차가 9인 정규분포를 따르는 모집단에서 크기가 n인 표본을 임의추출하여 구한 표본평균이 50이었다. 모평균 m을 신뢰도 99 %로 추정한 신뢰구간이 $42.26 \leq m \leq 57.74$일 때, n의 값을 구하시오.

(단, $P(|Z| \leq 2.58) = 0.99$)

046 표준편차가 5인 정규분포를 따르는 모집단에서 크기가 n인 표본을 임의추출하여 모평균을 신뢰도 95 %로 추정할 때, 신뢰구간의 길이가 2 이하가 되도록 하는 자연수 n의 최솟값을 구하시오. (단, $P(|Z| \leq 1.96) = 0.95$)

최종 점검하기

1 모평균이 13인 모집단에서 크기가 10인 표본을 임의추출할 때, 표본평균 $\overline{X}$에 대하여 $E(3\overline{X}-9)$는?

① 3   ② 9   ③ 13

④ 26   ⑤ 30

2 모평균이 20, 모표준편차가 12인 모집단에서 크기가 16인 표본을 임의추출할 때, 표본평균 $\overline{X}$의 표준편차는?

① 3   ② 6   ③ 12

④ 16   ⑤ 20

3 정규분포 $N(3, 5^2)$을 따르는 모집단에서 크기가 25인 표본을 임의추출할 때, 표본평균 $\overline{X}$에 대하여 $E(\overline{X}^2)$은?

① 2   ② 5   ③ 10

④ 15   ⑤ 25

4 모집단의 확률변수 X의 확률분포를 표로 나타내면 다음과 같다. 이 모집단에서 크기가 11인 표본을 임의추출할 때, 표본평균 $\overline{X}$의 분산을 구하시오. (단, a는 상수)

X	0	1	2	3	합계
$P(X=x)$	$\dfrac{1}{6}$	a	$\dfrac{1}{3}$	$\dfrac{1}{6}$	1

5 모집단의 확률변수 X의 확률질량함수가

$$P(X=x)=\frac{x}{10} \ (x=1, 2, 3, 4)$$

이다. 이 모집단에서 크기가 9인 표본을 임의추출할 때, 표본평균 $\overline{X}$에 대하여 $\sigma(\overline{X})$는?

① $\dfrac{1}{10}$ ② $\dfrac{1}{5}$ ③ $\dfrac{1}{3}$

④ $\dfrac{1}{2}$ ⑤ 1

6 1, 1, 2, 2, 3의 숫자가 각각 하나씩 적힌 5장의 카드가 들어 있는 상자에서 크기가 2인 표본을 임의추출할 때, 카드에 적힌 수의 평균을 $\overline{X}$라고 하자. 이때 $E(\overline{X})-V(\overline{X})$의 값을 구하시오.

07

7 정규분포 $N(60, 18^2)$을 따르는 모집단에서 크기가 81인 표본을 임의추출할 때, 표본평균 $\overline{X}$는 정규분포 $N(a, b^2)$을 따른다. 이때 상수 a, b에 대하여 $a+b$의 값은?

(단, $b>0$)

① 42 　　　　② 51 　　　　③ 60
④ 62 　　　　⑤ 78

10 표준편차가 6인 정규분포를 따르는 모집단에서 크기가 9인 표본을 임의추출하여 구한 표본평균이 7이었다. 모평균 m을 신뢰도 95 %로 추정한 신뢰구간을 $a \leq m \leq b$라고 할 때, $a+2b$의 값을 구하시오.

(단, $P(|Z| \leq 1.96) = 0.95$)

8 정규분포 $N(15, 6^2)$을 따르는 모집단에서 크기가 4인 표본을 임의추출할 때, 표본평균 $\overline{X}$가 12 이상일 확률을 오른쪽 표준정규분포표를 이용하여 구하시오.

z	$P(0 \leq Z \leq z)$
1.0	0.3413
1.5	0.4332
2.0	0.4772
2.5	0.4938

11 정규분포 $N(m, 2^2)$을 따르는 모집단에서 크기가 64인 표본을 임의추출할 때, 신뢰도 99 %로 추정한 모평균의 신뢰구간의 길이를 구하시오.

(단, $P(|Z| \leq 2.58) = 0.99$)

9 어느 과수원에서 수확하는 귤 1개의 당도는 평균이 13브릭스, 표준편차가 2브릭스인 정규분포를 따른다고 한다. 이 과수원에서 수확한 귤 4개를 임의추출할 때, 귤의 당도의

z	$P(0 \leq Z \leq z)$
1.5	0.4332
2.0	0.4772
2.5	0.4938
3.0	0.4987

평균이 10브릭스 이하일 확률을 위의 표준정규분포표를 이용하여 구하시오.

12 표준편차가 10인 정규분포를 따르는 모집단에서 크기가 n인 표본을 임의추출하여 신뢰도 95 %로 모평균을 추정할 때, 신뢰구간의 길이가 14 이하가 되도록 하는 자연수 n의 최솟값은? (단, $P(|Z| \leq 1.96) = 0.95$)

① 6 　　　　② 7 　　　　③ 8
④ 14 　　　　⑤ 16

표준정규분포표

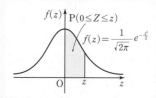

z	0.00	0.01	0.02	0.03	0.04	0.05	0.06	0.07	0.08	0.09
0.0	0.0000	0.0040	0.0080	0.0120	0.0160	0.0199	0.0239	0.0279	0.0319	0.0359
0.1	0.0398	0.0438	0.0478	0.0517	0.0557	0.0596	0.0636	0.0675	0.0714	0.0753
0.2	0.0793	0.0832	0.0871	0.0910	0.0948	0.0987	0.1026	0.1064	0.1103	0.1141
0.3	0.1179	0.1217	0.1255	0.1293	0.1331	0.1368	0.1406	0.1443	0.1480	0.1517
0.4	0.1554	0.1591	0.1628	0.1664	0.1700	0.1736	0.1772	0.1808	0.1844	0.1879
0.5	0.1915	0.1950	0.1985	0.2019	0.2054	0.2088	0.2123	0.2157	0.2190	0.2224
0.6	0.2257	0.2291	0.2324	0.2357	0.2389	0.2422	0.2454	0.2486	0.2517	0.2549
0.7	0.2580	0.2611	0.2642	0.2673	0.2704	0.2734	0.2764	0.2794	0.2823	0.2852
0.8	0.2881	0.2910	0.2939	0.2967	0.2995	0.3023	0.3051	0.3078	0.3106	0.3133
0.9	0.3159	0.3186	0.3212	0.3238	0.3264	0.3289	0.3315	0.3340	0.3365	0.3389
1.0	0.3413	0.3438	0.3461	0.3485	0.3508	0.3531	0.3554	0.3577	0.3599	0.3621
1.1	0.3643	0.3665	0.3686	0.3708	0.3729	0.3749	0.3770	0.3790	0.3810	0.3830
1.2	0.3849	0.3869	0.3888	0.3907	0.3925	0.3944	0.3962	0.3980	0.3997	0.4015
1.3	0.4032	0.4049	0.4066	0.4082	0.4099	0.4115	0.4131	0.4147	0.4162	0.4177
1.4	0.4192	0.4207	0.4222	0.4236	0.4251	0.4265	0.4279	0.4292	0.4306	0.4319
1.5	0.4332	0.4345	0.4357	0.4370	0.4382	0.4394	0.4406	0.4418	0.4429	0.4441
1.6	0.4452	0.4463	0.4474	0.4484	0.4495	0.4505	0.4515	0.4525	0.4535	0.4545
1.7	0.4554	0.4564	0.4573	0.4582	0.4591	0.4599	0.4608	0.4616	0.4625	0.4633
1.8	0.4641	0.4649	0.4656	0.4664	0.4671	0.4678	0.4686	0.4693	0.4699	0.4706
1.9	0.4713	0.4719	0.4726	0.4732	0.4738	0.4744	0.4750	0.4756	0.4761	0.4767
2.0	0.4772	0.4778	0.4783	0.4788	0.4793	0.4798	0.4803	0.4808	0.4812	0.4817
2.1	0.4821	0.4826	0.4830	0.4834	0.4838	0.4842	0.4846	0.4850	0.4854	0.4857
2.2	0.4861	0.4864	0.4868	0.4871	0.4875	0.4878	0.4881	0.4884	0.4887	0.4890
2.3	0.4893	0.4896	0.4898	0.4901	0.4904	0.4906	0.4909	0.4911	0.4913	0.4916
2.4	0.4918	0.4920	0.4922	0.4925	0.4927	0.4929	0.4931	0.4932	0.4934	0.4936
2.5	0.4938	0.4940	0.4941	0.4943	0.4945	0.4946	0.4948	0.4949	0.4951	0.4952
2.6	0.4953	0.4955	0.4956	0.4957	0.4959	0.4960	0.4961	0.4962	0.4963	0.4964
2.7	0.4965	0.4966	0.4967	0.4968	0.4969	0.4970	0.4971	0.4972	0.4973	0.4974
2.8	0.4974	0.4975	0.4976	0.4977	0.4977	0.4978	0.4979	0.4979	0.4980	0.4981
2.9	0.4981	0.4982	0.4982	0.4983	0.4984	0.4984	0.4985	0.4985	0.4986	0.4986
3.0	0.4987	0.4987	0.4987	0.4988	0.4988	0.4989	0.4989	0.4989	0.4990	0.4990
3.1	0.4990	0.4991	0.4991	0.4991	0.4992	0.4992	0.4992	0.4992	0.4993	0.4993
3.2	0.4993	0.4993	0.4994	0.4994	0.4994	0.4994	0.4994	0.4995	0.4995	0.4995
3.3	0.4995	0.4995	0.4995	0.4996	0.4996	0.4996	0.4996	0.4996	0.4996	0.4997
3.4	0.4997	0.4997	0.4997	0.4997	0.4997	0.4997	0.4997	0.4997	0.4997	0.4998

15개정 교육과정

정답과 해설'은 본책에서 쉽게 분리할 수 있도록 제작되었으므로
유통 과정에서 분리될 수 있으나 파본이 아닌 정상제품입니다.

정답과 해설

확률과 통계

책 속의 가접 별책 (특허 제 0557442호)
'정답과 해설'은 본책에서 쉽게 분리할 수 있도록 제작되었으므로
유통 과정에서 분리될 수 있으나 파본이 아닌 정상제품입니다.

visang

우리는 남다른 상상과 혁신으로
교육 문화의 새로운 전형을 만들어
모든 이의 행복한 경험과 성장에 기여한다

ABOVE IMAGINATION

우리는 남다른 상상과 혁신으로
교육 문화의 새로운 전형을 만들어
모든 이의 행복한 경험과 성장에 기여한다

만렙 AM

정답과 해설

확률과 통계

01 순열과 조합

001 답 **120**

$(6-1)!=5!=120$

002 답 **24**

$(5-1)!=4!=24$

003 답 **6**

4명이 원탁에 둘러앉는 경우의 수는

$(4-1)!=3!=6$

004 답 **4, 2, 4, 2, 48**

005 답 **240**

두 사람 A, B를 1명으로 생각하면 6명이 원형으로 둘러서는 경우의 수는

$(6-1)!=5!=120$

두 사람 A, B가 자리를 바꾸어 서는 경우의 수는

$2!=2$

따라서 구하는 경우의 수는

$120 \times 2=240$

006 답 **36**

어른 모두를 1명으로 생각하면 4명이 원탁에 둘러앉는 경우의 수는

$(4-1)!=3!=6$

어른 3명이 자리를 바꾸어 앉는 경우의 수는

$3!=6$

따라서 구하는 경우의 수는

$6 \times 6=36$

007 답 **4, 24**

다른 풀이

여학생 2명이 마주 보고 원탁에 앉은 다음 나머지 자리에 남학생 4명이 앉으면 되므로 구하는 경우의 수는 $_4P_4=4!=24$

008 답 **2**

회장의 자리가 결정되면 부회장이 앉을 수 있는 자리는 고정된다. 즉, 구하는 경우의 수는 3명이 원탁에 둘러앉는 경우의 수와 같으므로

$(3-1)!=2!=2$

009 답 **720**

3이 적힌 구슬의 자리가 결정되면 4가 적힌 구슬이 놓일 수 있는 자리는 고정된다. 즉, 구하는 경우의 수는 7개를 원형으로 배열하는 경우의 수와 같으므로

$(7-1)!=6!=720$

010 답 **7, 7, 10080**

011 답 **240**

6명을 원형으로 배열하는 경우의 수는

$(6-1)!=5!=120$

이때 원형으로 배열하는 어느 한 가지 방법에 대하여 주어진 정삼각형 모양의 탁자에서는 다음 그림과 같이 서로 다른 경우가 2가지씩 존재한다.

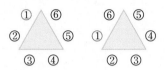

따라서 구하는 경우의 수는

$120 \times 2=240$

012 답 **20160**

8명을 원형으로 배열하는 경우의 수는

$(8-1)!=7!=5040$

이때 원형으로 배열하는 어느 한 가지 방법에 대하여 주어진 직사각형 모양의 탁자에서는 다음 그림과 같이 서로 다른 경우가 4가지씩 존재한다.

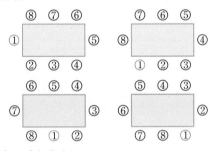

따라서 구하는 경우의 수는

$5040 \times 4=20160$

013 답 **720**

6명을 원형으로 배열하는 경우의 수는

$(6-1)!=5!=120$

이때 원형으로 배열하는 어느 한 가지 방법에 대하여 주어진 반원 모양의 탁자에서는 다음 그림과 같이 서로 다른 경우가 6가지씩 존재한다.

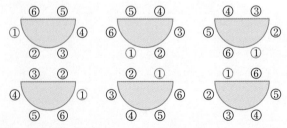

따라서 구하는 경우의 수는

$120 \times 6=720$

다른 풀이

주어진 반원 모양의 탁자에 6명이 둘러앉을 때, 회전하여 같아지는 경우가 없으므로 구하는 경우의 수는 6명을 일렬로 배열하는 경우의 수와 같다. $\therefore 6!=720$

014 답 **6**

4가지 색을 원형으로 배열하는 경우의 수와 같으므로
$(4-1)!=3!=6$

015 답 **120**

6가지 색을 원형으로 배열하는 경우의 수와 같으므로
$(6-1)!=5!=120$

016 답 **4, 2, 4, 2, 8**

017 답 **30**

먼저 가운데 정사각형을 칠하는 경우의 수는 5
나머지 4개의 삼각형을 칠하는 경우의 수는
$(4-1)!=3!=6$
따라서 구하는 경우의 수는
$5\times6=30$

018 답 **840**

먼저 가운데 정육각형을 칠하는 경우의 수는 7
나머지 6개의 정육각형을 칠하는 경우의 수는
$(6-1)!=5!=120$
따라서 구하는 경우의 수는
$7\times120=840$

019 답 **30**

먼저 정사각뿔의 밑면을 칠하는 경우의 수는 5
밑면을 제외한 나머지 4개의 면을 칠하는 경우의 수는
$(4-1)!=3!=6$
따라서 구하는 경우의 수는
$5\times6=30$

020 답 **25**

$_5\Pi_2=5^2=25$

021 답 **64**

$_4\Pi_3=4^3=64$

022 답 **256**

$_4\Pi_4=4^4=256$

023 답 **32**

$_2\Pi_5=2^5=32$

024 답 **81**

$_3\Pi_4=3^4=81$

025 답 **6**

$_n\Pi_3=216$에서
$n^3=216=6^3$ ∴ $n=6$ (∵ n은 자연수)

026 답 **2**

$_n\Pi_4=16$에서
$n^4=16=2^4$
∴ $n=2$ (∵ n은 자연수)

027 답 **3**

$_n\Pi_n=27$에서
$n^n=27=3^3$
∴ $n=3$ (∵ n은 자연수)

028 답 **9**

$_2\Pi_r=512$에서
$2^r=512=2^9$
∴ $r=9$

029 답 **4**

$_5\Pi_r=625$에서
$5^r=625=5^4$
∴ $r=4$

030 답 **81**

구하는 경우의 수는 급식 메뉴 3개 중 중복을 허용하여 4개를 택하는 중복순열의 수와 같으므로
$_3\Pi_4=3^4=81$

031 답 **216**

구하는 경우의 수는 숙소 6개 중 중복을 허용하여 3개를 택하는 중복순열의 수와 같으므로
$_6\Pi_3=6^3=216$

032 답 **256**

구하는 경우의 수는 ○, × 중 중복을 허용하여 8개를 택하는 중복순열의 수와 같으므로
$_2\Pi_8=2^8=256$

033 답 **1024**

만들 수 있는 신호의 개수는 부호 •, − 중 중복을 허용하여 10개를 택하는 중복순열의 수와 같으므로
$_2\Pi_{10}=2^{10}=1024$

034 답 **31**

전구 5개를 각각 켜거나 꺼서 만들 수 있는 신호의 개수는 켜거나 끄는 것, 즉 2종류 중 중복을 허용하여 5종류를 택하는 중복순열의 수와 같으므로
$_2\Pi_5=2^5=32$
이때 전구가 모두 꺼진 경우 1가지는 제외해야 하므로 구하는 신호의 개수는
$32-1=31$

035 답 **0, 3, 3, 4, 3, 3, 4, 3, 192**

036 답 48

백의 자리에 올 수 있는 숫자는 0을 제외해야 하므로
1, 2, 3 ➡ 3가지
나머지 자리에는 0, 1, 2, 3의 4개의 숫자 중에서 중복을 허용하여
2개를 뽑아 일렬로 배열하면 되므로 그 경우의 수는
$_4\Pi_2=4^2=16$
따라서 구하는 자연수의 개수는
$3\times16=48$

037 답 96

천의 자리에 올 수 있는 숫자는 0을 제외해야 하므로
1, 2, 3 ➡ 3가지
짝수이므로 일의 자리에 올 수 있는 숫자는
0, 2 ➡ 2가지
나머지 자리에는 0, 1, 2, 3의 4개의 숫자 중에서 중복을 허용하여
2개를 뽑아 일렬로 배열하면 되므로 그 경우의 수는
$_4\Pi_2=4^2=16$
따라서 구하는 짝수의 개수는
$3\times2\times16=96$

038 답 192

만의 자리에 올 수 있는 숫자는 0을 제외해야 하므로
1, 2, 3 ➡ 3가지
5의 배수이므로 일의 자리에 올 수 있는 숫자는
0 ➡ 1가지
나머지 자리에는 0, 1, 2, 3의 4개의 숫자 중에서 중복을 허용하여
3개를 뽑아 일렬로 배열하면 되므로 그 경우의 수는
$_4\Pi_3=4^3=64$
따라서 구하는 5의 배수의 개수는
$3\times1\times64=192$

039 답 100

백의 자리에 올 수 있는 숫자는 0을 제외해야 하므로
1, 2, 3, 4 ➡ 4가지
나머지 자리에는 0, 1, 2, 3, 4의 5개의 숫자 중에서 중복을 허용
하여 2개를 뽑아 일렬로 배열하면 되므로 그 경우의 수는
$_5\Pi_2=5^2=25$
따라서 구하는 자연수의 개수는
$4\times25=100$

040 답 500

천의 자리에 올 수 있는 숫자는 0을 제외해야 하므로
1, 2, 3, 4 ➡ 4가지
나머지 자리에는 0, 1, 2, 3, 4의 5개의 숫자 중에서 중복을 허용
하여 3개를 뽑아 일렬로 배열하면 되므로 그 경우의 수는
$_5\Pi_3=5^3=125$
따라서 구하는 자연수의 개수는
$4\times125=500$

041 답 200

천의 자리에 올 수 있는 숫자는 0을 제외해야 하므로
1, 2, 3, 4 ➡ 4가지
홀수이므로 일의 자리에 올 수 있는 숫자는
1, 3 ➡ 2가지
나머지 자리에는 0, 1, 2, 3, 4의 5개의 숫자 중에서 중복을 허용
하여 2개를 뽑아 일렬로 배열하면 되므로 그 경우의 수는
$_5\Pi_2=5^2=25$
따라서 구하는 홀수의 개수는 $4\times2\times25=200$

042 답 50

세 자리의 자연수 중 300보다 작은 수는 백의 자리의 숫자가 1 또
는 2인 수이다. 즉, 백의 자리에 올 수 있는 숫자는
1, 2 ➡ 2가지
나머지 자리에는 0, 1, 2, 3, 4의 5개의 숫자 중에서 중복을 허용
하여 2개를 뽑아 일렬로 배열하면 되므로 그 경우의 수는
$_5\Pi_2=5^2=25$
따라서 구하는 자연수의 개수는 $2\times25=50$

043 답 308

0, 1, 2, 3, 4의 5개의 숫자로 만들 수 있는 네 자리의 자연수의 개
수는
$4\times_5\Pi_3=4\times5^3=500$
1을 제외한 0, 2, 3, 4의 4개의 숫자로 만들 수 있는 네 자리의 자
연수의 개수는
$3\times_4\Pi_3=3\times4^3=192$
따라서 숫자 1을 포함한 네 자리의 자연수의 개수는
$500-192=308$

044 답 3, 3, 27

045 답 16

Y의 원소 3, 4, 5, 6의 4개 중에서 중복을 허용하여 2개를 택하여
X의 원소 1, 2에 대응시키면 되므로 구하는 함수의 개수는
$_4\Pi_2=4^2=16$

046 답 16

Y의 원소 5, 6의 2개 중에서 중복을 허용하여 4개를 택하여 X의
원소 1, 2, 3, 4에 대응시키면 되므로 구하는 함수의 개수는
$_2\Pi_4=2^4=16$

047 답 64

Y의 원소 4, 5, 6, 7의 4개 중에서 중복을 허용하여 3개를 택하여
X의 원소 1, 2, 3에 대응시키면 되므로 구하는 함수의 개수는
$_4\Pi_3=4^3=64$

048 답 60

6개의 문자 중 a가 3개, b가 2개 있으므로 구하는 경우의 수는
$\dfrac{6!}{3!\times2!}=60$

049 답 2520

8개의 문자 중 a가 2개, b가 2개, c가 2개, d가 2개 있으므로 구하는 경우의 수는

$$\frac{8!}{2! \times 2! \times 2! \times 2!} = 2520$$

050 답 1260

7개의 문자 중 n이 2개, t가 2개 있으므로 구하는 경우의 수는

$$\frac{7!}{2! \times 2!} = 1260$$

051 답 5040

8개의 문자 중 n이 2개, t가 2개, e가 2개 있으므로 구하는 경우의 수는

$$\frac{8!}{2! \times 2! \times 2!} = 5040$$

052 답 5, 3, 10

053 답 30

양 끝에 2개의 a를 고정시키고 그 사이에 나머지 문자 a, b, b, c, c를 일렬로 배열하는 경우의 수는

$$\frac{5!}{2! \times 2!} = 30$$

054 답 30

3개의 a를 한 문자 A로 생각하여 5개의 문자 A, b, b, c, c를 일렬로 배열하는 경우의 수는

$$\frac{5!}{2! \times 2!} = 30$$

055 답 60

2개의 b를 한 문자 B로 생각하여 6개의 문자 a, a, a, B, c, c를 일렬로 배열하는 경우의 수는

$$\frac{6!}{3! \times 2!} = 60$$

056 답 90

맨 앞에 a를 고정시키고 나머지 문자 p, p, r, r, e, e를 일렬로 배열하는 경우의 수는

$$\frac{6!}{2! \times 2! \times 2!} = 90$$

057 답 180

맨 앞에 e를 고정시키고 나머지 문자 p, p, r, r, e, a를 일렬로 배열하는 경우의 수는

$$\frac{6!}{2! \times 2!} = 180$$

058 답 30

양 끝에 2개의 p를 고정시키고 그 사이에 나머지 문자 r, r, e, e, a를 일렬로 배열하는 경우의 수는

$$\frac{5!}{2! \times 2!} = 30$$

059 답 180

2개의 r를 한 문자 R로 생각하여 6개의 문자 p, p, R, e, e, a를 일렬로 배열하는 경우의 수는

$$\frac{6!}{2! \times 2!} = 180$$

060 답 90

a, e, e를 한 문자 A로 생각하여 다섯 개의 문자 A, p, p, r, r를 일렬로 배열하는 경우의 수는

$$\frac{5!}{2! \times 2!} = 30$$

a, e, e를 일렬로 배열하는 경우의 수는 $\dfrac{3!}{2!} = 3$

따라서 구하는 경우의 수는

$$30 \times 3 = 90$$

061 답 5, 2, 2, 30, 4, 2, 2, 6, 30, 6, 24

다른 풀이

(i) 맨 앞자리에 1이 오는 경우

나머지 숫자 0, 1, 2, 2를 일렬로 배열하는 경우의 수는

$$\frac{4!}{2!} = 12$$

(ii) 맨 앞자리에 2가 오는 경우

나머지 숫자 0, 1, 1, 2를 일렬로 배열하는 경우의 수는

$$\frac{4!}{2!} = 12$$

(i), (ii)에 의하여 구하는 자연수의 개수는

$$12 + 12 = 24$$

062 답 30

$$\frac{5!}{2! \times 2!} = 30$$

063 답 40

0, 0, 1, 2, 2, 2를 일렬로 배열하는 경우의 수는

$$\frac{6!}{2! \times 3!} = 60$$

맨 앞자리에 0이 오는 경우의 수는 나머지 숫자 0, 1, 2, 2, 2를 일렬로 배열하는 경우의 수와 같으므로

$$\frac{5!}{3!} = 20$$

따라서 구하는 자연수의 개수는

$$60 - 20 = 40$$

064 답 150

0, 1, 2, 2, 3, 3을 일렬로 배열하는 경우의 수는

$$\frac{6!}{2! \times 2!} = 180$$

맨 앞자리에 0이 오는 경우의 수는 나머지 숫자 1, 2, 2, 3, 3을 일렬로 배열하는 경우의 수와 같으므로

$$\frac{5!}{2! \times 2!} = 30$$

따라서 구하는 자연수의 개수는

$$180 - 30 = 150$$

065 답 30

5의 배수이므로 일의 자리에 0이 와야 한다.

나머지 숫자 1, 2, 2, 3, 3을 일렬로 배열하는 경우의 수는

$$\frac{5!}{2! \times 2!} = 30$$

066 답 78

(i) 일의 자리에 0이 오는 경우

나머지 숫자 1, 2, 2, 3, 3을 일렬로 배열하는 경우의 수는

$$\frac{5!}{2! \times 2!} = 30$$

(ii) 맨 앞자리에 1, 일의 자리에 2가 오는 경우

나머지 숫자 0, 2, 3, 3을 일렬로 배열하는 경우의 수는

$$\frac{4!}{2!} = 12$$

(iii) 맨 앞자리에 2, 일의 자리에 2가 오는 경우

나머지 숫자 0, 1, 3, 3을 일렬로 배열하는 경우의 수는

$$\frac{4!}{2!} = 12$$

(iv) 맨 앞자리에 3, 일의 자리에 2가 오는 경우

나머지 숫자 0, 1, 2, 3을 일렬로 배열하는 경우의 수는

$$4! = 24$$

(i)~(iv)에 의하여 구하는 짝수의 개수는 30+12+12+24=78

067 답 120

여섯 자리의 자연수 중 200000보다 큰 수는 맨 앞자리의 숫자가 2 또는 3인 수이다.

(i) 맨 앞자리에 2가 오는 경우

나머지 숫자 0, 1, 2, 3, 3을 일렬로 배열하는 경우의 수는

$$\frac{5!}{2!} = 60$$

(ii) 맨 앞자리에 3이 오는 경우

나머지 숫자 0, 1, 2, 2, 3을 일렬로 배열하는 경우의 수는

$$\frac{5!}{2!} = 60$$

(i), (ii)에 의하여 구하는 자연수의 개수는 60+60=120

068 답 4, 2, 12

069 답 60

숫자 1, 3의 순서가 정해져 있으므로 1, 3을 모두 A로 생각하여 A, 2, A, 4, 5를 일렬로 배열한 후 첫 번째 A는 3으로, 두 번째 A는 1로 바꾸면 된다.

따라서 구하는 경우의 수는 $\dfrac{5!}{2!} = 60$

070 답 120

숫자 2, 4, 6의 순서가 정해져 있으므로 2, 4, 6을 모두 A로 생각하여 1, A, 3, A, 5, A를 일렬로 배열한 후 첫 번째 A는 2로, 두 번째 A는 4로, 세 번째 A는 6으로 바꾸면 된다.

따라서 구하는 경우의 수는 $\dfrac{6!}{3!} = 120$

071 답 180

A, B와 C, D의 순서가 정해져 있으므로 A, B를 모두 O로, C, D를 모두 X로 생각하여 O, O, X, X, E, F를 일렬로 배열한 후 첫 번째 O는 A로, 두 번째 O는 B로, 첫 번째 X는 C로, 두 번째 X는 D로 바꾸면 된다.

따라서 구하는 경우의 수는

$$\frac{6!}{2! \times 2!} = 180$$

072 답 5

$$\frac{(1+4)!}{1! \times 4!} = \frac{5!}{4!} = 5$$

073 답 10

$$\frac{(2+3)!}{2! \times 3!} = \frac{5!}{2! \times 3!} = 10$$

074 답 35

$$\frac{(4+3)!}{4! \times 3!} = \frac{7!}{4! \times 3!} = 35$$

075 답 28

$$\frac{(6+2)!}{6! \times 2!} = \frac{8!}{6! \times 2!} = 28$$

076 답 56

$$\frac{(3+5)!}{3! \times 5!} = \frac{8!}{3! \times 5!} = 56$$

077 답 70

$$\frac{(4+4)!}{4! \times 4!} = \frac{8!}{4! \times 4!} = 70$$

078 답 4, 2, 6, 3, 2, 3, 6, 3, 18

079 답 80

지점 A에서 지점 P까지 가는 최단 경로의 수는

$$\frac{(3+3)!}{3! \times 3!} = \frac{6!}{3! \times 3!} = 20$$

지점 P에서 지점 B까지 가는 최단 경로의 수는

$$\frac{(3+1)!}{3! \times 1!} = \frac{4!}{3!} = 4$$

따라서 구하는 최단 경로의 수는

$$20 \times 4 = 80$$

080 답 225

지점 A에서 지점 P까지 가는 최단 경로의 수는

$$\frac{(4+2)!}{4! \times 2!} = \frac{6!}{4! \times 2!} = 15$$

지점 P에서 지점 B까지 가는 최단 경로의 수는

$$\frac{(2+4)!}{2! \times 4!} = \frac{6!}{2! \times 4!} = 15$$

따라서 구하는 최단 경로의 수는

$$15 \times 15 = 225$$

081 답 3, 2, 2, 6, 3, 2, 1, 3, 6, 3, 9

082 답 36

오른쪽 그림과 같이 지점 P를 잡으면 지점
A에서 지점 B까지 가는 최단 경로는 지점
P를 반드시 지난다.

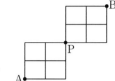

지점 A에서 지점 P까지 가는 최단 경로
의 수는

$$\frac{4!}{2! \times 2!} = 6$$

지점 P에서 지점 B까지 가는 최단 경로의 수는

$$\frac{4!}{2! \times 2!} = 6$$

따라서 구하는 최단 경로의 수는

$$6 \times 6 = 36$$

083 답 36

오른쪽 그림과 같이 세 지점 P, Q, R를
잡으면 지점 A에서 지점 B까지 가는 최
단 경로는

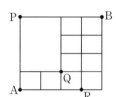

A → P → B

또는 A → Q → B

또는 A → R → B

(i) A → P → B로 가는 최단 경로의 수는

$$1 \times 1 = 1$$

(ii) A → Q → B로 가는 최단 경로의 수는

$$\frac{3!}{2!} \times \frac{5!}{2! \times 3!} = 30$$

(iii) A → R → B로 가는 최단 경로의 수는

$$1 \times \frac{5!}{4!} = 5$$

(i), (ii), (iii)에 의하여 구하는 최단 경로의 수는

$$1 + 30 + 5 = 36$$

084 답 15

$${}_5H_2 = {}_6C_2 = \frac{6 \times 5}{2 \times 1} = 15$$

085 답 20

$${}_4H_3 = {}_6C_3 = \frac{6 \times 5 \times 4}{3 \times 2 \times 1} = 20$$

086 답 35

$${}_4H_4 = {}_7C_4 = {}_7C_3 = \frac{7 \times 6 \times 5}{3 \times 2 \times 1} = 35$$

087 답 6

$${}_2H_5 = {}_6C_5 = {}_6C_1 = 6$$

088 답 15

$${}_3H_4 = {}_6C_4 = {}_6C_2 = \frac{6 \times 5}{2 \times 1} = 15$$

089 답 10

$${}_4H_7 = {}_nC_3$$에서 $${}_4H_7 = {}_{10}C_7 = {}_{10}C_3$$이므로

$$n = 10$$

090 답 7

$${}_2H_6 = {}_nC_1$$에서 $${}_2H_6 = {}_7C_6 = {}_7C_1$$이므로

$$n = 7$$

091 답 5

$${}_3H_r = {}_7C_2$$에서 $${}_3H_r = {}_{2+r}C_r = {}_{2+r}C_2$$이므로

$$2 + r = 7$$

$$\therefore r = 5$$

092 답 11

$${}_nH_2 = 66$$에서

$${}_{n+1}C_2 = 66$$

$$\frac{(n+1)n}{2 \times 1} = 66$$

$$n^2 + n - 132 = 0$$

$$(n+12)(n-11) = 0$$

$$\therefore n = 11 \ (\because n\text{은 자연수})$$

093 답 2

$${}_nH_3 = 4$$에서

$${}_{n+2}C_3 = 4$$

$$\frac{(n+2)(n+1)n}{3 \times 2 \times 1} = 4$$

$$(n+2)(n+1)n = 4 \times 3 \times 2$$

$$\therefore n = 2 \ (\because n\text{은 자연수})$$

094 답 20

구하는 경우의 수는 서로 다른 4개에서 중복을 허용하여 3개를 택
하는 중복조합의 수와 같으므로

$${}_4H_3 = {}_6C_3 = \frac{6 \times 5 \times 4}{3 \times 2 \times 1} = 20$$

095 답 5

구하는 경우의 수는 서로 다른 2개에서 중복을 허용하여 4개를 택
하는 중복조합의 수와 같으므로

$${}_2H_4 = {}_5C_4 = {}_5C_1 = 5$$

096 답 28

구하는 경우의 수는 서로 다른 3개에서 중복을 허용하여 6개를 택
하는 중복조합의 수와 같으므로

$${}_3H_6 = {}_8C_6 = {}_8C_2 = \frac{8 \times 7}{2 \times 1} = 28$$

097 답 165

구하는 경우의 수는 서로 다른 4개에서 중복을 허용하여 8개를 택
하는 중복조합의 수와 같으므로

$${}_4H_8 = {}_{11}C_8 = {}_{11}C_3 = \frac{11 \times 10 \times 9}{3 \times 2 \times 1} = 165$$

098 답 **210**

구하는 경우의 수는 서로 다른 5개에서 중복을 허용하여 6개를 택하는 중복조합의 수와 같으므로

$$_5H_6={}_{10}C_6={}_{10}C_4=\frac{10\times9\times8\times7}{4\times3\times2\times1}=210$$

099 답 **7, 3, 7, 36**

100 답 **15**

먼저 짜장면, 짬뽕, 볶음밥을 각각 1개씩 주문하고, 나머지 4개를 주문하면 되므로 구하는 경우의 수는

$$_3H_4={}_6C_4={}_6C_2=\frac{6\times5}{2\times1}=15$$

101 답 **1001**

먼저 5개의 꽃병에 꽃을 한 송이씩 꽂고, 남은 꽃 10송이를 5개의 꽃병에 나누어 꽂으면 되므로 구하는 경우의 수는

$$_5H_{10}={}_{14}C_{10}={}_{14}C_4=\frac{14\times13\times12\times11}{4\times3\times2\times1}=1001$$

102 답 **78**

먼저 사탕을 4개, 젤리를 5개 사고, 나머지 11개를 사면 되므로 구하는 경우의 수는

$$_3H_{11}={}_{13}C_{11}={}_{13}C_2=\frac{13\times12}{2\times1}=78$$

103 답 **5, 3, 5, 21**

104 답 **15**

서로 다른 항의 개수는 3개의 문자 x, y, z에서 중복을 허용하여 4개를 택하는 중복조합의 수와 같으므로

$$_3H_4={}_6C_4={}_6C_2=\frac{6\times5}{2\times1}=15$$

105 답 **20**

서로 다른 항의 개수는 4개의 문자 a, b, c, d에서 중복을 허용하여 3개를 택하는 중복조합의 수와 같으므로

$$_4H_3={}_6C_3=\frac{6\times5\times4}{3\times2\times1}=20$$

106 답 **144**

서로 다른 항의 개수는 2개의 문자 a, b에서 중복을 허용하여 3개를 택하고, 3개의 문자 x, y, z에서 중복을 허용하여 7개를 택하는 중복조합의 수와 같으므로

$$_2H_3\times{}_3H_7={}_4C_3\times{}_9C_7={}_4C_1\times{}_9C_2=4\times\frac{9\times8}{2\times1}=144$$

107 답 **6, 3, 6, 28**

108 답 **220**

음이 아닌 정수해의 개수는 4개의 문자 x, y, z, w에서 중복을 허용하여 9개를 택하는 중복조합의 수와 같으므로

$$_4H_9={}_{12}C_9={}_{12}C_3=\frac{12\times11\times10}{3\times2\times1}=220$$

109 답 **3, 3, 3, 3, 10**

110 답 **84**

$X=x-1$, $Y=y-1$, $Z=z-1$, $W=w-1$이라고 하면 X, Y, Z, W는 음이 아닌 정수이다.

$x=X+1$, $y=Y+1$, $z=Z+1$, $w=W+1$을 방정식

$x+y+z+w=10$에 대입하여 정리하면

$X+Y+Z+W=6$

따라서 구하는 양의 정수해의 개수는 방정식

$X+Y+Z+W=6$의 음이 아닌 정수해의 개수와 같으므로

$$_4H_6={}_9C_6={}_9C_3=\frac{9\times8\times7}{3\times2\times1}=84$$

연산 유형 **최종 점검하기**   22~23쪽

1 720	**2** 12	**3** ③	**4** 840	**5** 729	**6** ④
7 128	**8** 27	**9** 12	**10** 21	**11** 240	**12** ③
13 17	**14** 28	**15** 36	**16** 66		

1 $(7-1)!=6!=720$

2 교장 선생님과 교감 선생님을 1명으로 생각하면 4명이 원탁에 둘러앉는 경우의 수는

$(4-1)!=3!=6$

교장 선생님과 교감 선생님이 자리를 바꾸어 앉는 경우의 수는

$2!=2$

따라서 구하는 경우의 수는

$6\times2=12$

3 12명을 원형으로 배열하는 경우의 수는

$(12-1)!=11!$

이때 원형으로 배열하는 어느 한 가지 방법에 대하여 주어진 정육각형 모양의 탁자에서는 다음 그림과 같이 서로 다른 경우가 2가지씩 존재한다.

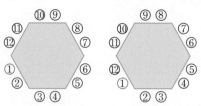

따라서 구하는 경우의 수는

$2\times11!$

4 먼저 가운데 원을 칠하는 경우의 수는 7
나머지 6개의 영역을 칠하는 경우의 수는
$(6-1)!=5!=120$
따라서 구하는 경우의 수는
$7 \times 120=840$

5 $_n\Pi_2=36$에서
$n^2=36$ ∴ $n=6$ ($\because n$은 자연수)
∴ $_3\Pi_n={_3\Pi_6}=3^6=729$

6 $_3\Pi_5=3^5=243$

7 첫 번째 자리에 올 수 있는 숫자는 2, 3의 2가지
나머지 자리에는 1, 2, 3, 4의 4개의 숫자 중에서 중복을 허용하여 3개를 뽑아 일렬로 배열하면 되므로 그 경우의 수는
$_4\Pi_3=4^3=64$
따라서 구하는 비밀번호의 개수는
$2 \times 64=128$

8 X의 원소 1에 대응하는 Y의 원소는 0으로 고정하고 Y의 원소 -1, 0, 1의 3개 중에서 중복을 허용하여 3개를 택하여 X의 원소 2, 3, 4에 대응시키면 되므로 구하는 함수의 개수는
$_3\Pi_3=3^3=27$

9 양 끝에 2개의 b를 고정시키고 그 사이에 나머지 문자 a, a, b, c를 일렬로 배열하는 경우의 수는
$\dfrac{4!}{2!}=12$

10 (i) 일의 자리에 0이 오는 경우
　나머지 숫자 1, 1, 3, 5를 일렬로 배열하는 경우의 수는
　$\dfrac{4!}{2!}=12$
(ii) 일의 자리에 5, 만의 자리에 1이 오는 경우
　나머지 숫자 0, 1, 3을 일렬로 배열하는 경우의 수는
　$3!=6$
(iii) 일의 자리에 5, 만의 자리에 3이 오는 경우
　나머지 숫자 0, 1, 1을 일렬로 배열하는 경우의 수는
　$\dfrac{3!}{2!}=3$
(i), (ii), (iii)에 의하여 구하는 5의 배수의 개수는
$12+6+3=21$

11 모음 모두를 한 문자 A로, 자음 모두를 한 문자 B로 생각할 때, 모음이 모두 자음보다 앞에 오도록 배열하는 경우는 AB의 1가지이다.
이때 모음 a, e, e, e끼리 자리를 바꾸는 경우의 수는
$\dfrac{4!}{3!}=4$
자음 p, p, l, t, r끼리 자리를 바꾸는 경우의 수는
$\dfrac{5!}{2!}=60$
따라서 구하는 경우의 수는 $1 \times 4 \times 60=240$

12 $\dfrac{6!}{2! \times 4!}=15$

13 오른쪽 그림과 같이 세 지점 Q, R, S를 잡으면 지점 A에서 지점 B까지 가는 최단 경로는
$A \to Q \to B$ 또는 $A \to R \to B$
또는 $A \to S \to B$

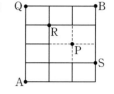

(i) $A \to Q \to B$로 가는 최단 경로의 수는
　$1 \times 1=1$
(ii) $A \to R \to B$로 가는 최단 경로의 수는
　$\dfrac{4!}{3!} \times \dfrac{3!}{2!}=12$
(iii) $A \to S \to B$로 가는 최단 경로의 수는
　$\dfrac{4!}{3!} \times 1=4$
(i), (ii), (iii)에 의하여 구하는 최단 경로의 수는
$1+12+4=17$

다른 풀이
지점 P의 장애물을 생각하지 않고 지점 A에서 지점 B까지 가는 최단 경로의 수는
$\dfrac{7!}{3! \times 4!}=35$
지점 A에서 지점 P를 거쳐 지점 B까지 가는 최단 경로의 수는
$\dfrac{4!}{2! \times 2!} \times \dfrac{3!}{2!}=18$
따라서 지점 P를 지나지 않고 가는 최단 경로의 수는
$35-18=17$

14 먼저 3명의 학생에게 공을 각각 3개씩 나누어 주고, 남은 6개를 3명의 학생에게 나누어 주면 되므로 그 경우의 수는
$_3H_6={_8C_6}={_8C_2}=\dfrac{8 \times 7}{2 \times 1}=28$

15 서로 다른 항의 개수는 3개의 문자 a, b, c에서 중복을 허용하여 7개를 택하는 중복조합의 수와 같으므로
$_3H_7={_9C_7}={_9C_2}=\dfrac{9 \times 8}{2 \times 1}=36$

16 음이 아닌 정수해의 개수는 3개의 문자 x, y, z에서 중복을 허용하여 8개를 택하는 중복조합의 수와 같으므로
$a={_3H_8}={_{10}C_8}={_{10}C_2}=\dfrac{10 \times 9}{2 \times 1}=45$
$X=x-1$, $Y=y-1$, $Z=z-1$이라고 하면 X, Y, Z는 음이 아닌 정수이다.
$x=X+1$, $y=Y+1$, $z=Z+1$을 방정식 $x+y+z=8$에 대입하여 정리하면
$X+Y+Z=5$
따라서 양의 정수해의 개수는 방정식 $X+Y+Z=5$의 음이 아닌 정수해의 개수와 같으므로
$b={_3H_5}={_7C_5}={_7C_2}=\dfrac{7 \times 6}{2 \times 1}=21$
∴ $a+b=45+21=66$

02 이항정리

001 답 $a^3+3a^2b+3ab^2+b^3$

$(a+b)^3={}_3C_0a^3+{}_3C_1a^2b+{}_3C_2ab^2+{}_3C_3b^3$
$\quad\ =a^3+3a^2b+3ab^2+b^3$

002 답 $a^4+4a^3b+6a^2b^2+4ab^3+b^4$

$(a+b)^4={}_4C_0a^4+{}_4C_1a^3b+{}_4C_2a^2b^2+{}_4C_3ab^3+{}_4C_4b^4$
$\quad\ =a^4+4a^3b+6a^2b^2+4ab^3+b^4$

003 답 $a^5-5a^4+10a^3-10a^2+5a-1$

$(a-1)^5={}_5C_0a^5+{}_5C_1a^4\times(-1)+{}_5C_2a^3\times(-1)^2$
$\qquad\quad +{}_5C_3a^2\times(-1)^3+{}_5C_4a\times(-1)^4+{}_5C_5\times(-1)^5$
$\quad\ =a^5-5a^4+10a^3-10a^2+5a-1$

004 답 $8a^3+12a^2b+6ab^2+b^3$

$(2a+b)^3={}_3C_0(2a)^3+{}_3C_1(2a)^2b+{}_3C_2 2ab^2+{}_3C_3b^3$
$\quad\ =8a^3+12a^2b+6ab^2+b^3$

005 답 $x^4+4x^2+6+\dfrac{4}{x^2}+\dfrac{1}{x^4}$

$\left(x+\dfrac{1}{x}\right)^4$
$={}_4C_0x^4+{}_4C_1x^3\times\dfrac{1}{x}+{}_4C_2x^2\times\left(\dfrac{1}{x}\right)^2+{}_4C_3x\times\left(\dfrac{1}{x}\right)^3+{}_4C_4\times\left(\dfrac{1}{x}\right)^4$
$=x^4+4x^2+6+\dfrac{4}{x^2}+\dfrac{1}{x^4}$

006 답 $x^5-5x^3+10x-\dfrac{10}{x}+\dfrac{5}{x^3}-\dfrac{1}{x^5}$

$\left(x-\dfrac{1}{x}\right)^5={}_5C_0x^5+{}_5C_1x^4\times\left(-\dfrac{1}{x}\right)+{}_5C_2x^3\times\left(-\dfrac{1}{x}\right)^2$
$\qquad\qquad +{}_5C_3x^2\times\left(-\dfrac{1}{x}\right)^3+{}_5C_4x\times\left(-\dfrac{1}{x}\right)^4+{}_5C_5\times\left(-\dfrac{1}{x}\right)^5$
$\quad\ =x^5-5x^3+10x-\dfrac{10}{x}+\dfrac{5}{x^3}-\dfrac{1}{x^5}$

007 답 $8x^3+12x+\dfrac{6}{x}+\dfrac{1}{x^3}$

$\left(2x+\dfrac{1}{x}\right)^3$
$={}_3C_0(2x)^3+{}_3C_1(2x)^2\times\dfrac{1}{x}+{}_3C_2\times 2x\times\left(\dfrac{1}{x}\right)^2+{}_3C_3\times\left(\dfrac{1}{x}\right)^3$
$=8x^3+12x+\dfrac{6}{x}+\dfrac{1}{x^3}$

008 답 $x^4-12x^2+54-\dfrac{108}{x^2}+\dfrac{81}{x^4}$

$\left(x-\dfrac{3}{x}\right)^4={}_4C_0x^4+{}_4C_1x^3\times\left(-\dfrac{3}{x}\right)+{}_4C_2x^2\times\left(-\dfrac{3}{x}\right)^2$
$\qquad\qquad +{}_4C_3x\times\left(-\dfrac{3}{x}\right)^3+{}_4C_4\times\left(-\dfrac{3}{x}\right)^4$
$\quad\ =x^4-12x^2+54-\dfrac{108}{x^2}+\dfrac{81}{x^4}$

009 답 10

$(x+y)^5$의 전개식의 일반항은
${}_5C_r x^{5-r}y^r$
$x^{5-r}y^r=x^2y^3$에서 $r=3$
따라서 x^2y^3의 계수는 ${}_5C_3=10$

010 답 5

$(x+y)^5$의 전개식의 일반항은
${}_5C_r x^{5-r}y^r$
$x^{5-r}y^r=xy^4$에서 $r=4$
따라서 xy^4의 계수는 ${}_5C_4=5$

011 답 -8

$(x-2y)^4$의 전개식의 일반항은
${}_4C_r x^{4-r}\times(-2y)^r={}_4C_r\times(-2)^r x^{4-r}y^r$
$x^{4-r}y^r=x^3y$에서 $r=1$
따라서 x^3y의 계수는 ${}_4C_1\times(-2)=-8$

012 답 -32

$(x-2y)^4$의 전개식의 일반항은
${}_4C_r x^{4-r}\times(-2y)^r={}_4C_r\times(-2)^r x^{4-r}y^r$
$x^{4-r}y^r=xy^3$에서 $r=3$
따라서 xy^3의 계수는 ${}_4C_3\times(-2)^3=-32$

013 답 -6

$\left(x-\dfrac{1}{x}\right)^6$의 전개식의 일반항은
${}_6C_r x^{6-r}\times\left(-\dfrac{1}{x}\right)^r={}_6C_r\times(-1)^r x^{6-r}\times\dfrac{1}{x^r}$
$x^{6-r}\times\dfrac{1}{x^r}=x^4$에서 $r=1$
따라서 x^4의 계수는 ${}_6C_1\times(-1)=-6$

014 답 15

$\left(x-\dfrac{1}{x}\right)^6$의 전개식의 일반항은
${}_6C_r x^{6-r}\times\left(-\dfrac{1}{x}\right)^r={}_6C_r\times(-1)^r x^{6-r}\times\dfrac{1}{x^r}$
$x^{6-r}\times\dfrac{1}{x^r}=\dfrac{1}{x^2}$에서 $r=4$
따라서 $\dfrac{1}{x^2}$의 계수는 ${}_6C_4\times(-1)^4=15$

015 답 8

$\left(x+\dfrac{2}{x}\right)^4$의 전개식의 일반항은
${}_4C_r x^{4-r}\times\left(\dfrac{2}{x}\right)^r={}_4C_r 2^r x^{4-r}\times\dfrac{1}{x^r}$
$x^{4-r}\times\dfrac{1}{x^r}=x^2$에서 $r=1$
따라서 x^2의 계수는 ${}_4C_1\times 2=8$

016 답 24

$\left(x+\dfrac{2}{x}\right)^4$의 전개식의 일반항은

$_4C_r x^{4-r}\times\left(\dfrac{2}{x}\right)^r=_4C_r 2^r x^{4-r}\times\dfrac{1}{x^r}$

$x^{4-r}\times\dfrac{1}{x^r}=1$에서 $r=2$

따라서 상수항은 $_4C_2\times2^2=24$

017 답 2, $4-s$, 2, $4-s$, 2, 3, 2, 4, 64

018 답 -1

$(1+x)^4$의 전개식의 일반항은 $_4C_r x^r$ …… ㉠

$(1-x)^2$의 전개식의 일반항은 $_2C_s\times(-1)^s x^s$ …… ㉡

$(1+x)^4(1-x)^2$의 전개식의 일반항은 ㉠×㉡이므로

$_4C_r\times_2C_s\times(-1)^s x^{r+s}$

$r+s=2$를 만족하는 순서쌍 (r, s)는

$(0, 2)$, $(1, 1)$, $(2, 0)$

따라서 x^2의 계수는

$_4C_0\times_2C_2\times(-1)^2+_4C_1\times_2C_1\times(-1)+_4C_2\times_2C_0=1+(-8)+6$

$=-1$

019 답 174

$(1+2x)^3$의 전개식의 일반항은 $_3C_r 2^r x^r$ …… ㉠

$(2+x)^3$의 전개식의 일반항은 $_3C_s 2^{3-s} x^s$ …… ㉡

$(1+2x)^3(2+x)^3$의 전개식의 일반항은 ㉠×㉡이므로

$_3C_r\times_3C_s 2^{r-s+3} x^{r+s}$

$r+s=2$를 만족하는 순서쌍 (r, s)는

$(0, 2)$, $(1, 1)$, $(2, 0)$

따라서 x^2의 계수는

$_3C_0\times_3C_2\times2+_3C_1\times_3C_1\times2^3+_3C_2\times_3C_0\times2^5=6+72+96=174$

020 답 -567

$(1-x)^4$의 전개식의 일반항은 $_4C_r\times(-1)^r x^r$ …… ㉠

$(3+x)^5$의 전개식의 일반항은 $_5C_s 3^{5-s} x^s$ …… ㉡

$(1-x)^4(3+x)^5$의 전개식의 일반항은 ㉠×㉡이므로

$_4C_r\times_5C_s\times(-1)^r 3^{5-s} x^{r+s}$

$r+s=1$을 만족하는 순서쌍 (r, s)는

$(0, 1)$, $(1, 0)$

따라서 x의 계수는

$_4C_0\times_5C_1\times3^4+_4C_1\times_5C_0\times(-1)\times3^5=405+(-972)=-567$

021 답 $x^4+4x^3y+6x^2y^2+4xy^3+y^4$

022 답 $a^6-6a^5b+15a^4b^2-20a^3b^3+15a^2b^4-6ab^5+b^6$

023 답 $a^5-15a^4+90a^3-270a^2+405a-243$

$(a-3)^5=a^5+5a^4\times(-3)+10a^3\times(-3)^2+10a^2\times(-3)^3$

$\qquad\qquad+5a\times(-3)^4+(-3)^5$

$\qquad=a^5-15a^4+90a^3-270a^2+405a-243$

024 답 $_5C_3$

025 답 $_7C_4$

026 답 $_9C_4$

027 답 $_9C_3$

$_7C_2+_7C_3+_8C_2=_8C_3+_8C_2=_9C_3$

028 답 8

$_3C_0+_3C_1+_3C_2+_3C_3=2^3=8$

029 답 256

$_8C_0+_8C_1+_8C_2+\cdots+_8C_8=2^8=256$

030 답 63

$_6C_0+_6C_1+_6C_2+_6C_3+_6C_4+_6C_5+_6C_6=2^6$이므로

$_6C_0+_6C_1+_6C_2+_6C_3+_6C_4+_6C_5=2^6-1=63$

031 답 2047

$_{11}C_0+_{11}C_1+_{11}C_2+_{11}C_3+\cdots+_{11}C_{11}=2^{11}$이므로

$_{11}C_1+_{11}C_2+_{11}C_3+\cdots+_{11}C_{11}=2^{11}-1=2047$

032 답 0

033 답 0

034 답 1, 1, 2^n, 10

035 답 8

$_nC_0+_nC_1+_nC_2+\cdots+_nC_n=2^n$이므로 주어진 등식은

$2^n=256$, $2^n=2^8$

$\therefore n=8$

036 답 9

$_nC_0+_nC_1+_nC_2+\cdots+_nC_{n-1}+_nC_n=2^n$이므로

$_nC_0+_nC_1+_nC_2+\cdots+_nC_{n-1}=2^n-1$

따라서 주어진 부등식은

$500<2^n-1<1000$

$\therefore 501<2^n<1001$

이때 $2^8=256$, $2^9=512$, $2^{10}=1024$이므로

$n=9$

037 답 0, 2, 64

038 답 256

$_9C_0+_9C_1+_9C_2+\cdots+_9C_9=2^9$ …… ㉠

$_9C_0-_9C_1+_9C_2-\cdots-_9C_9=0$ …… ㉡

㉠-㉡을 하면

$2(_9C_1+_9C_3+_9C_5+_9C_7+_9C_9)=2^9$

$\therefore _9C_1+_9C_3+_9C_5+_9C_7+_9C_9=256$

039 답 **255**

$_9C_0+_9C_1+_9C_2+\cdots+_9C_9=2^9$ ······ ㉠

$_9C_0-_9C_1+_9C_2-\cdots-_9C_9=0$ ······ ㉡

㉠+㉡을 하면

$2(_9C_0+_9C_2+_9C_4+_9C_6+_9C_8)=2^9$

$_9C_0+_9C_2+_9C_4+_9C_6+_9C_8=256$

$\therefore _9C_2+_9C_4+_9C_6+_9C_8=256-1=255$

040 답 **2048**

$_{12}C_0+_{12}C_1+_{12}C_2+\cdots+_{12}C_{12}=2^{12}$ ······ ㉠

$_{12}C_0-_{12}C_1+_{12}C_2-\cdots+_{12}C_{12}=0$ ······ ㉡

㉠−㉡을 하면

$2(_{12}C_1+_{12}C_3+_{12}C_5+_{12}C_7+_{12}C_9+_{12}C_{11})=2^{12}$

$\therefore _{12}C_1+_{12}C_3+_{12}C_5+_{12}C_7+_{12}C_9+_{12}C_{11}=2048$

연산유형 **최종 점검**하기   32~33쪽

1 ③	**2** 3	**3** ⑤	**4** −3	**5** ④	**6** ⑤
7 ④	**8** ②	**9** 0	**10** 7	**11** ①	**12** ②

1 $(2x-y)^4$의 전개식의 일반항은

$_4C_r(2x)^{4-r}\times(-y)^r=_4C_r2^{4-r}\times(-1)^rx^{4-r}y^r$

$x^{4-r}y^r=x^2y^2$에서 $r=2$

따라서 x^2y^2의 계수는 $_4C_2\times2^2\times(-1)^2=24$

2 $(x+ay)^5$의 전개식의 일반항은

$_5C_rx^{5-r}\times(ay)^r=_5C_ra^rx^{5-r}y^r$

$x^{5-r}y^r=x^3y^2$에서 $r=2$

이때 x^3y^2의 계수가 90이므로

$_5C_2a^2=90,\ a^2=9$

$\therefore a=3\ (\because a>0)$

3 $\left(x^2-\dfrac{1}{x}\right)^5$의 전개식의 일반항은

$_5C_r(x^2)^{5-r}\times\left(-\dfrac{1}{x}\right)^r=_5C_r\times(-1)^rx^{10-2r}\times\dfrac{1}{x^r}$

(ⅰ) $x^{10-2r}\times\dfrac{1}{x^r}=x^4$에서 $r=2$

    따라서 x^4의 계수는 $_5C_2\times(-1)^2=10$

(ⅱ) $x^{10-2r}\times\dfrac{1}{x^r}=x^7$에서 $r=1$

    따라서 x^7의 계수는 $_5C_1\times(-1)=-5$

(ⅰ), (ⅱ)에 의하여 x^4의 계수와 x^7의 계수의 합은

$10+(-5)=5$

4 $(x-1)^3$의 전개식의 일반항은

$_3C_rx^{3-r}\times(-1)^r$ ······ ㉠

$(x+1)^4$의 전개식의 일반항은

$_4C_sx^{4-s}$ ······ ㉡

$(x-1)^3(x+1)^4$의 전개식의 일반항은 ㉠×㉡이므로

$_3C_r\times_4C_s\times(-1)^rx^{7-(r+s)}$

$7-(r+s)=5$, 즉 $r+s=2$를 만족하는 순서쌍 (r,s)는

$(0,2),(1,1),(2,0)$

따라서 x^5의 계수는

$_3C_0\times_4C_2+_3C_1\times_4C_1\times(-1)+_3C_2\times_4C_0\times(-1)^2$

$=6+(-12)+3=-3$

5 $(2+x)^4$의 전개식의 일반항은

$_4C_r2^{4-r}x^r$ ······ ㉠

$(1-x)^2$의 전개식의 일반항은

$_2C_s\times(-1)^sx^s$ ······ ㉡

$(2+x)^4(1-x)^2$의 전개식의 일반항은 ㉠×㉡이므로

$_4C_r\times_2C_s\times2^{4-r}\times(-1)^sx^{r+s}$

$r+s=0$을 만족하는 순서쌍 (r,s)는 $(0,0)$

$r+s=1$을 만족하는 순서쌍 (r,s)는 $(0,1),(1,0)$

따라서 상수항과 x의 계수의 합은

$_4C_0\times_2C_0\times2^4+_4C_0\times_2C_1\times2^4\times(-1)+_4C_1\times_2C_0\times2^3$

$=16+(-32)+32=16$

6 $_2C_1+_2C_2+_3C_1+_4C_1=_3C_2+_3C_1+_4C_1$

$=_4C_2+_4C_1=_5C_2$

7 $_2C_0=_3C_0$이므로

$_2C_0+_3C_1+_4C_2+_5C_3=_3C_0+_3C_1+_4C_2+_5C_3$

$=_4C_1+_4C_2+_5C_3$

$=_5C_2+_5C_3=_6C_3$

8 $_1C_0=_2C_0$이므로

$_1C_0+_2C_1+_3C_2+_4C_3+_5C_4=_2C_0+_2C_1+_3C_2+_4C_3+_5C_4$

$=_3C_1+_3C_2+_4C_3+_5C_4$

$=_4C_2+_4C_3+_5C_4$

$=_5C_3+_5C_4=_6C_4$

9 $_{16}C_0-_{16}C_1+_{16}C_2-_{16}C_3+\cdots+_{16}C_{16}=0$

10 $_nC_0+_nC_1+_nC_2+\cdots+_nC_n=128$에서

$2^n=128,\ 2^n=2^7$ $\therefore n=7$

11 $_nC_0+_nC_1+_nC_2+_nC_3+\cdots+_nC_{n-1}+_nC_n=2^n$이므로

$_nC_1+_nC_2+_nC_3+\cdots+_nC_{n-1}=2^n-2$

따라서 주어진 등식은

$2^n-2=62,\ 2^n=2^6$ $\therefore n=6$

12 $_nC_0+_nC_1+_nC_2+_nC_3+\cdots+_nC_n=2^n$이므로

$_nC_1+_nC_2+_nC_3+\cdots+_nC_n=2^n-1$

따라서 주어진 부등식은

$200<2^n-1<300$ $\therefore 201<2^n<301$

이때 $2^7=128,\ 2^8=256,\ 2^9=512$이므로

$n=8$

03 확률의 뜻과 활용

001 답 {1, 2, 3, 4, 5, 6}

002 답 {2, 4, 6}

003 답 {1, 2, 4}

004 답 {2, 3, 5}

005 답 {2, 4, 6, 8, 10}

006 답 {6}

007 답 {4, 8}

008 답 {2, 6}

009 답 {2, 3, 4, 5, 6, 7, 8, 10}

$A=\{2, 4, 6, 8, 10\}$, $B=\{2, 3, 5, 7\}$이므로
$A \cup B=\{2, 3, 4, 5, 6, 7, 8, 10\}$

010 답 {2}

011 답 {1, 3, 5, 7, 9}

012 답 {1, 4, 6, 8, 9, 10}

013 답 A와 C

$A=\{1, 3, 5, 7, 9, 11\}$, $B=\{1, 2, 4, 8\}$, $C=\{4, 8, 12\}$

(i) $A \cap B=\{1\}$이므로 A와 B는 배반이 아니다.

(ii) $B \cap C=\{4, 8\}$이므로 B와 C는 배반이 아니다.

(iii) $A \cap C=\varnothing$이므로 A와 C는 배반이다.

(i), (ii), (iii)에 의하여 서로 배반인 두 사건은 A와 C이다.

014 답 {1, 3, 4, 5, 7, 8, 9, 11, 12}

015 답 {1, 2, 4, 8, 12}

016 답 {2, 4, 8}

$A^C=\{2, 4, 6, 8, 10, 12\}$이므로
$A^C \cap B=\{2, 4, 8\}$

017 답 $\dfrac{1}{9}$

2개의 주사위를 동시에 던져서 나오는 모든 경우의 수는
$6 \times 6=36$
두 눈의 수의 합이 9인 경우는
$(3, 6), (4, 5), (5, 4), (6, 3)$ ➡ 4가지
따라서 구하는 확률은 $\dfrac{4}{36}=\dfrac{1}{9}$

018 답 $\dfrac{1}{6}$

두 눈의 수가 서로 같은 경우는
$(1, 1), (2, 2), (3, 3), (4, 4), (5, 5), (6, 6)$ ➡ 6가지
따라서 구하는 확률은 $\dfrac{6}{36}=\dfrac{1}{6}$

019 답 $\dfrac{1}{6}$

(i) 두 눈의 수의 합이 2인 경우는
   $(1, 1)$ ➡ 1가지

(ii) 두 눈의 수의 합이 3인 경우는
   $(1, 2), (2, 1)$ ➡ 2가지

(iii) 두 눈의 수의 합이 4인 경우는
   $(1, 3), (2, 2), (3, 1)$ ➡ 3가지

(i), (ii), (iii)에 의하여 두 눈의 수의 합이 4 이하인 경우의 수는
$1+2+3=6$
따라서 구하는 확률은 $\dfrac{6}{36}=\dfrac{1}{6}$

020 답 $\dfrac{5}{36}$

(i) 두 눈의 수의 곱이 8인 경우는
   $(2, 4), (4, 2)$ ➡ 2가지

(ii) 두 눈의 수의 곱이 16인 경우는
   $(4, 4)$ ➡ 1가지

(iii) 두 눈의 수의 곱이 24인 경우는
   $(4, 6), (6, 4)$ ➡ 2가지

(i), (ii), (iii)에 의하여 두 눈의 수의 곱이 8의 배수인 경우의 수는
$2+1+2=5$
따라서 구하는 확률은 $\dfrac{5}{36}$

021 답 6, 5, 5, 6, $\dfrac{1}{2}$

022 답 $\dfrac{1}{4}$

집합 A의 부분집합의 개수는
$2^6=64$
집합 A의 부분집합 중 a, b를 모두 포함하는 부분집합의 개수는
$2^{6-2}=2^4=16$
따라서 구하는 확률은 $\dfrac{16}{64}=\dfrac{1}{4}$

023 답 $\dfrac{1}{8}$

집합 A의 부분집합 중 d, e, f를 모두 포함하지 않는 부분집합의 개수는
$2^{6-3}=2^3=8$
따라서 구하는 확률은 $\dfrac{8}{64}=\dfrac{1}{8}$

024 답 5, 4, 4, $\dfrac{2}{5}$

025 답 $\dfrac{1}{5}$

5개의 문자를 일렬로 배열하는 경우의 수는

$5! = 120$

자음 b, c, d를 한 문자로 보고, 모음 a, e를 다른 한 문자로 보아 2개의 문자를 일렬로 배열하는 경우의 수는 $2! = 2$

이때 자음 b, c, d를 일렬로 배열하는 경우의 수는 $3! = 6$

모음 a, e를 일렬로 배열하는 경우의 수는 $2! = 2$

자음은 자음끼리, 모음은 모음끼리 이웃하는 경우의 수는

$2 \times 6 \times 2 = 24$

따라서 구하는 확률은 $\dfrac{24}{120} = \dfrac{1}{5}$

026 답 $\dfrac{2}{7}$

8명이 원탁에 둘러앉는 경우의 수는

$(8-1)! = 7!$

선생님들을 1명으로 생각하면 7명이 원탁에 둘러앉는 경우의 수는 $(7-1)! = 6!$, 선생님 2명이 자리를 바꾸어 앉는 경우의 수는 $2!$ 이므로 선생님끼리 이웃하여 앉는 경우의 수는

$6! \times 2!$

따라서 구하는 확률은 $\dfrac{6! \times 2!}{7!} = \dfrac{2}{7}$

027 답 $\dfrac{1}{7}$

선생님 한 명의 자리가 결정되면 다른 선생님이 앉을 수 있는 자리는 고정되므로 선생님끼리 마주 보고 앉는 경우의 수는

$(7-1)! = 6!$

따라서 구하는 확률은 $\dfrac{6!}{7!} = \dfrac{1}{7}$

028 답 $\dfrac{1}{3}$

네 자리의 자연수의 개수는

$_3\Pi_4 = 3^4 = 81$

짝수이려면 일의 자리의 숫자가 2이어야 하므로 짝수의 개수는

$_3\Pi_3 = 3^3 = 27$

따라서 구하는 확률은 $\dfrac{27}{81} = \dfrac{1}{3}$

029 답 $\dfrac{1}{3}$

3000보다 크려면 천의 자리의 숫자가 3이어야 하므로 3000보다 큰 수의 개수는

$_3\Pi_3 = 3^3 = 27$

따라서 구하는 확률은 $\dfrac{27}{81} = \dfrac{1}{3}$

030 답 $\dfrac{1}{21}$

7개의 문자를 일렬로 배열하는 경우의 수는

$\dfrac{7!}{2! \times 2! \times 2!} = 630$

양 끝에 2개의 o를 고정시키고 그 사이에 나머지 문자를 일렬로 배열하는 경우의 수는

$\dfrac{5!}{2! \times 2!} = 30$

따라서 구하는 확률은 $\dfrac{30}{630} = \dfrac{1}{21}$

031 답 $\dfrac{2}{7}$

2개의 n을 한 문자 N으로 생각하여 6개의 문자를 일렬로 배열하는 경우의 수는

$\dfrac{6!}{2! \times 2!} = 180$

따라서 구하는 확률은 $\dfrac{180}{630} = \dfrac{2}{7}$

032 답 35, 10, $\dfrac{2}{7}$

033 답 $\dfrac{4}{7}$

7명 중 3명을 뽑는 경우의 수는

$_7C_3 = 35$

2학년 학생 중 1명, 1학년 학생 중 2명을 뽑는 경우의 수는

$_2C_1 \times _5C_2 = 2 \times 10 = 20$

따라서 구하는 확률은 $\dfrac{20}{35} = \dfrac{4}{7}$

034 답 $\dfrac{1}{84}$

공 9개 중 3개를 꺼내는 경우의 수는

$_9C_3 = 84$

검은 공만 3개를 꺼내는 경우의 수는

$_3C_3 = 1$

따라서 구하는 확률은 $\dfrac{1}{84}$

035 답 $\dfrac{10}{21}$

공 9개 중 4개를 꺼내는 경우의 수는

$_9C_4 = 126$

흰 공을 3개, 검은 공을 1개 꺼내는 경우의 수는

$_6C_3 \times _3C_1 = 20 \times 3 = 60$

따라서 구하는 확률은 $\dfrac{60}{126} = \dfrac{10}{21}$

036 답 $\dfrac{1}{21}$

카드 9장 중 3장을 뽑는 경우의 수는

$_9C_3 = 84$

짝수 2, 4, 6, 8이 적힌 카드 4장 중 3장을 뽑는 경우의 수는

$_4C_3 = 4$

따라서 구하는 확률은 $\dfrac{4}{84} = \dfrac{1}{21}$

037 답 $\dfrac{5}{42}$

세 수의 곱이 홀수이려면 세 수가 모두 홀수이어야 하므로 홀수 1, 3, 5, 7, 9가 적힌 카드 5장 중 3장을 뽑는 경우의 수는
$$_5C_3=10$$
따라서 구하는 확률은 $\dfrac{10}{84}=\dfrac{5}{42}$

038 답 $\dfrac{1}{5}$

서로 다른 3종류에서 중복을 허용하여 4개를 구매하는 경우의 수는
$$_3H_4=_6C_4=15$$
지우개를 2개 구매하고 나머지 2종류 중 2개를 구매하는 경우의 수는
$$_2H_2=_3C_2=3$$
따라서 구하는 확률은 $\dfrac{3}{15}=\dfrac{1}{5}$

039 답 $\dfrac{5}{21}$

서로 다른 3종류에서 중복을 허용하여 5개를 구매하는 경우의 수는
$$_3H_5=_7C_5=21$$
가위를 1개 구매하고 나머지 2종류 중 4개를 구매하는 경우의 수는
$$_2H_4=_5C_4=5$$
따라서 구하는 확률은 $\dfrac{5}{21}$

040 답 $\dfrac{1}{25}$

$$\dfrac{4}{100}=\dfrac{1}{25}$$

041 답 $\dfrac{19}{24}$

$$\dfrac{95}{120}=\dfrac{19}{24}$$

042 답 $\dfrac{57}{100}$

$$\dfrac{114}{200}=\dfrac{57}{100}$$

043 답 $\dfrac{9}{100}$

044 답 $\dfrac{37}{100}$

8점 이상을 맞힌 횟수는
$$16+12+9=37$$
따라서 구하는 확률은 $\dfrac{37}{100}$

045 답 $\dfrac{3}{5}$

6점 이상을 맞힌 횟수는
$$15+8+16+12+9=60$$
따라서 구하는 확률은 $\dfrac{60}{100}=\dfrac{3}{5}$

046 답 $\dfrac{1}{4}$

작은 정삼각형의 넓이를 1로 생각하면 구하는 확률은 $\dfrac{1}{4}$

047 답 $\dfrac{3}{8}$

작은 정사각형의 넓이를 1로 생각하면 구하는 확률은 $\dfrac{6}{16}=\dfrac{3}{8}$

048 답 $\dfrac{2}{5}$

작은 정삼각형의 넓이를 1로 생각하면 구하는 확률은 $\dfrac{2}{5}$

049 답 $\dfrac{3}{4}$

두 원의 넓이는 작은 원부터 각각 9π, 36π이므로 색칠한 부분의 넓이는
$$36\pi-9\pi=27\pi$$
따라서 구하는 확률은
$$\dfrac{27\pi}{36\pi}=\dfrac{3}{4}$$

050 답 $\dfrac{2}{3}$

세 원의 넓이는 작은 원부터 각각 4π, 16π, 36π이므로 색칠한 부분의 넓이는
$$4\pi+(36\pi-16\pi)=24\pi$$
따라서 구하는 확률은 $\dfrac{24\pi}{36\pi}=\dfrac{2}{3}$

051 답 $\dfrac{7}{24}$

반지름의 길이가 3인 원의 넓이는 9π

중심각의 크기가 각각 $45°$, $60°$인 부채꼴의 넓이는 각각 $\dfrac{9}{8}\pi$, $\dfrac{3}{2}\pi$

이므로 색칠한 부분의 넓이는
$$\dfrac{9}{8}\pi+\dfrac{3}{2}\pi=\dfrac{21}{8}\pi$$
따라서 구하는 확률은
$$\dfrac{\frac{21}{8}\pi}{9\pi}=\dfrac{7}{24}$$

052 답 $\dfrac{1}{36}$

053 답 1

두 눈의 수가 모두 자연수인 사건은 반드시 일어나므로 구하는 확률은 1이다.

054 답 0

두 눈의 수의 합이 1인 사건은 절대로 일어나지 않으므로 구하는 확률은 0이다.

055 답 1

두 눈의 수의 합이 12 이하인 사건은 반드시 일어나므로 구하는 확률은 1이다.

056 답 0

두 눈의 수의 차가 6인 사건은 절대로 일어나지 않으므로 구하는 확률은 0이다.

057 답 $\dfrac{3}{5}$

$\dfrac{6}{10}=\dfrac{3}{5}$

058 답 1

빨간 공 또는 노란 공이 나오는 사건은 반드시 일어나므로 구하는 확률은 1이다.

059 답 0

파란 공이 나오는 사건은 절대로 일어나지 않으므로 구하는 확률은 0이다.

060 답 0

카드에 적힌 수가 동시에 짝수이고 홀수인 사건은 절대로 일어나지 않으므로
$P(A \cap B)=0$

061 답 1

카드에 적힌 수가 짝수 또는 홀수인 사건은 반드시 일어나므로
$P(A \cup B)=1$

062 답 $\dfrac{7}{12}$

$P(A \cup B)=P(A)+P(B)-P(A \cap B)$
$\qquad =\dfrac{1}{4}+\dfrac{1}{2}-\dfrac{1}{6}=\dfrac{7}{12}$

063 답 $\dfrac{1}{12}$

$P(A \cup B)=P(A)+P(B)-P(A \cap B)$에서
$\dfrac{1}{2}=\dfrac{1}{6}+\dfrac{5}{12}-P(A \cap B)$ $\quad \therefore P(A \cap B)=\dfrac{1}{12}$

064 답 $\dfrac{13}{18}$

$P(A \cup B)=P(A)+P(B)-P(A \cap B)$에서
$\dfrac{8}{9}=\dfrac{1}{3}+P(B)-\dfrac{1}{6}$ $\quad \therefore P(B)=\dfrac{13}{18}$

065 답 $\dfrac{7}{10}$

$P(A \cup B)=P(A)+P(B)-P(A \cap B)$에서
$\dfrac{4}{5}=P(A)+\dfrac{3}{10}-\dfrac{1}{5}$ $\quad \therefore P(A)=\dfrac{7}{10}$

066 답 $\dfrac{1}{2}, \dfrac{2}{5}, \dfrac{1}{20}, \dfrac{17}{20}$

067 답 $\dfrac{9}{20}$

카드에 적힌 수가 3의 배수인 사건을 A라고 하면
$A=\{3, 6, 9, 12, 15, 18\}$
카드에 적힌 수가 12의 약수인 사건을 B라고 하면
$B=\{1, 2, 3, 4, 6, 12\}$
$\therefore A \cap B=\{3, 6, 12\}$
따라서 $P(A)=\dfrac{6}{20}=\dfrac{3}{10}$, $P(B)=\dfrac{6}{20}=\dfrac{3}{10}$, $P(A \cap B)=\dfrac{3}{20}$이
므로 구하는 확률은
$P(A \cup B)=P(A)+P(B)-P(A \cap B)$
$\qquad =\dfrac{3}{10}+\dfrac{3}{10}-\dfrac{3}{20}=\dfrac{9}{20}$

068 답 $\dfrac{3}{10}$

카드에 적힌 수가 10의 약수인 사건을 A라고 하면
$A=\{1, 2, 5, 10\}$
카드에 적힌 수가 15의 약수인 사건을 B라고 하면
$B=\{1, 3, 5, 15\}$
$\therefore A \cap B=\{1, 5\}$
따라서 $P(A)=\dfrac{4}{20}=\dfrac{1}{5}$, $P(B)=\dfrac{4}{20}=\dfrac{1}{5}$,
$P(A \cap B)=\dfrac{2}{20}=\dfrac{1}{10}$이므로 구하는 확률은
$P(A \cup B)=P(A)+P(B)-P(A \cap B)$
$\qquad =\dfrac{1}{5}+\dfrac{1}{5}-\dfrac{1}{10}=\dfrac{3}{10}$

069 답 $\dfrac{19}{15}, \dfrac{2}{3}, \dfrac{4}{15}$

070 답 $\dfrac{3}{8}$

$P(A \cup B)=P(A)+P(B)-P(A \cap B)$에서
$P(A \cap B)=P(A)+P(B)-P(A \cup B)$
$\qquad =\dfrac{5}{8}+\dfrac{3}{4}-P(A \cup B)=\dfrac{11}{8}-P(A \cup B)$
$P(A \cap B)$가 최소이려면 $P(A \cup B)$가 최대이어야 한다.
$P(A \cup B) \geq P(A)$, $P(A \cup B) \geq P(B)$, $0 \leq P(A \cup B) \leq 1$이므로
$\dfrac{3}{4} \leq P(A \cup B) \leq 1$
따라서 $P(A \cap B)$의 최솟값은 $P(A \cup B)=1$일 때이므로
$P(A \cap B)=\dfrac{11}{8}-1=\dfrac{3}{8}$

071 답 $\dfrac{1}{2}$

$P(A \cup B)=P(A)+P(B)-P(A \cap B)$에서
$P(A \cap B)=P(A)+P(B)-P(A \cup B)$
$\qquad =\dfrac{1}{2}+\dfrac{3}{4}-P(A \cup B)=\dfrac{5}{4}-P(A \cup B)$
$P(A \cap B)$가 최대이려면 $P(A \cup B)$가 최소이어야 한다.

$\mathrm{P}(A\cup B)\geq\mathrm{P}(A)$, $\mathrm{P}(A\cup B)\geq\mathrm{P}(B)$, $0\leq\mathrm{P}(A\cup B)\leq1$이므로
$\dfrac{3}{4}\leq\mathrm{P}(A\cup B)\leq1$

따라서 $\mathrm{P}(A\cap B)$의 최댓값은 $\mathrm{P}(A\cup B)=\dfrac{3}{4}$일 때이므로
$\mathrm{P}(A\cap B)=\dfrac{5}{4}-\dfrac{3}{4}=\dfrac{1}{2}$

072 답 $\dfrac{5}{6}$

두 사건 A, B가 서로 배반사건이므로
$\begin{aligned}\mathrm{P}(A\cup B)&=\mathrm{P}(A)+\mathrm{P}(B)\\&=\dfrac{1}{3}+\dfrac{1}{2}=\dfrac{5}{6}\end{aligned}$

073 답 $\dfrac{3}{10}$

두 사건 A, B가 서로 배반사건이므로
$\mathrm{P}(A\cup B)=\mathrm{P}(A)+\mathrm{P}(B)$에서
$\dfrac{7}{10}=\dfrac{2}{5}+\mathrm{P}(B)$
$\therefore \mathrm{P}(B)=\dfrac{3}{10}$

074 답 $\dfrac{1}{3}$

두 사건 A, B가 서로 배반사건이므로
$\mathrm{P}(A\cup B)=\mathrm{P}(A)+\mathrm{P}(B)$에서
$1=\mathrm{P}(A)+\dfrac{2}{3}$
$\therefore \mathrm{P}(A)=\dfrac{1}{3}$

075 답 $\dfrac{21}{50}$

카드에 적힌 수가 10 이하인 사건을 A, 40 이상인 사건을 B라고 하면 두 사건 A, B는 서로 배반사건이다.
이때 $\mathrm{P}(A)=\dfrac{10}{50}=\dfrac{1}{5}$, $\mathrm{P}(B)=\dfrac{11}{50}$이므로 구하는 확률은
$\begin{aligned}\mathrm{P}(A\cup B)&=\mathrm{P}(A)+\mathrm{P}(B)\\&=\dfrac{1}{5}+\dfrac{11}{50}=\dfrac{21}{50}\end{aligned}$

076 답 $\dfrac{9}{50}$

카드에 적힌 수가 8의 약수인 사건을 A, 10의 배수인 사건을 B라고 하면 두 사건 A, B는 서로 배반사건이다.
이때 $\mathrm{P}(A)=\dfrac{4}{50}=\dfrac{2}{25}$, $\mathrm{P}(B)=\dfrac{5}{50}=\dfrac{1}{10}$이므로 구하는 확률은
$\begin{aligned}\mathrm{P}(A\cup B)&=\mathrm{P}(A)+\mathrm{P}(B)\\&=\dfrac{2}{25}+\dfrac{1}{10}=\dfrac{9}{50}\end{aligned}$

077 답 $\dfrac{2}{3}$

$\mathrm{P}(A^c)=1-\mathrm{P}(A)=1-\dfrac{1}{3}=\dfrac{2}{3}$

078 답 $\dfrac{4}{7}$

$\mathrm{P}(A^C)=1-\mathrm{P}(A)$에서
$\dfrac{3}{7}=1-\mathrm{P}(A)$ $\therefore \mathrm{P}(A)=\dfrac{4}{7}$

079 답 $\dfrac{11}{15}$

$A=\{1,\ 3,\ 5,\ 15\}$이므로 $\mathrm{P}(A)=\dfrac{4}{15}$
$\therefore \mathrm{P}(A^C)=1-\mathrm{P}(A)=1-\dfrac{4}{15}=\dfrac{11}{15}$

080 답 $\dfrac{3}{5}$

$B=\{2,\ 3,\ 5,\ 7,\ 11,\ 13\}$이므로 $\mathrm{P}(B)=\dfrac{6}{15}=\dfrac{2}{5}$
$\therefore \mathrm{P}(B^C)=1-\mathrm{P}(B)=1-\dfrac{2}{5}=\dfrac{3}{5}$

081 답 $\dfrac{2}{3}$, $\dfrac{11}{12}$

082 답 $\dfrac{7}{10}$

$\mathrm{P}(A^C)=1-\mathrm{P}(A)$에서
$\dfrac{4}{5}=1-\mathrm{P}(A)$ $\therefore \mathrm{P}(A)=\dfrac{1}{5}$
$\mathrm{P}(B^C)=1-\mathrm{P}(B)$에서
$\dfrac{1}{2}=1-\mathrm{P}(B)$ $\therefore \mathrm{P}(B)=\dfrac{1}{2}$
두 사건 A, B가 서로 배반사건이므로
$\begin{aligned}\mathrm{P}(A\cup B)&=\mathrm{P}(A)+\mathrm{P}(B)\\&=\dfrac{1}{5}+\dfrac{1}{2}=\dfrac{7}{10}\end{aligned}$

083 답 $\dfrac{5}{12}$

두 사건 A, B가 서로 배반사건이므로
$\begin{aligned}\mathrm{P}(A\cup B)&=\mathrm{P}(A)+\mathrm{P}(B)\\&=\dfrac{1}{4}+\dfrac{1}{3}=\dfrac{7}{12}\end{aligned}$
$A^c\cap B^c=(A\cup B)^c$이므로
$\begin{aligned}\mathrm{P}(A^c\cap B^c)&=\mathrm{P}((A\cup B)^c)=1-\mathrm{P}(A\cup B)\\&=1-\dfrac{7}{12}=\dfrac{5}{12}\end{aligned}$

084 답 $\dfrac{1}{8}$, $\dfrac{7}{8}$

085 답 $\dfrac{15}{16}$

적어도 1개는 뒷면이 나오는 사건을 A라고 하면 A^C은 4개 모두 앞면이 나오는 사건이므로
$\mathrm{P}(A^C)=\dfrac{1}{2\times2\times2\times2}=\dfrac{1}{16}$
따라서 구하는 확률은
$\mathrm{P}(A)=1-\mathrm{P}(A^C)=1-\dfrac{1}{16}=\dfrac{15}{16}$

086 달 $\dfrac{44}{45}$

적어도 1개는 정상 제품이 나오는 사건을 A라고 하면 A^c은 2개 모두 불량품이 나오는 사건이므로

$$\mathrm{P}(A^c)=\dfrac{_2\mathrm{C}_2}{_{10}\mathrm{C}_2}=\dfrac{1}{45}$$

따라서 구하는 확률은

$$\mathrm{P}(A)=1-\mathrm{P}(A^c)=1-\dfrac{1}{45}=\dfrac{44}{45}$$

087 달 $\dfrac{17}{45}$

적어도 1개는 불량품이 나오는 사건을 A라고 하면 A^c은 2개 모두 정상 제품이 나오는 사건이므로

$$\mathrm{P}(A^c)=\dfrac{_8\mathrm{C}_2}{_{10}\mathrm{C}_2}=\dfrac{28}{45}$$

따라서 구하는 확률은

$$\mathrm{P}(A)=1-\mathrm{P}(A^c)=1-\dfrac{28}{45}=\dfrac{17}{45}$$

088 달 $\dfrac{7}{13}$

적어도 1개는 흰 바둑돌이 나오는 사건을 A라고 하면 A^c은 2개 모두 검은 바둑돌이 나오는 사건이므로

$$\mathrm{P}(A^c)=\dfrac{_9\mathrm{C}_2}{_{13}\mathrm{C}_2}=\dfrac{36}{78}=\dfrac{6}{13}$$

따라서 구하는 확률은

$$\mathrm{P}(A)=1-\mathrm{P}(A^c)=1-\dfrac{6}{13}=\dfrac{7}{13}$$

089 달 $\dfrac{141}{143}$

적어도 1개는 검은 바둑돌이 나오는 사건을 A라고 하면 A^c은 3개 모두 흰 바둑돌이 나오는 사건이므로

$$\mathrm{P}(A^c)=\dfrac{_4\mathrm{C}_3}{_{13}\mathrm{C}_3}=\dfrac{4}{286}=\dfrac{2}{143}$$

따라서 구하는 확률은

$$\mathrm{P}(A)=1-\mathrm{P}(A^c)=1-\dfrac{2}{143}=\dfrac{141}{143}$$

090 달 $\dfrac{31}{35}$

적어도 1명은 남학생을 택하는 사건을 A라고 하면 A^c은 3명 모두 여학생을 택하는 사건이므로

$$\mathrm{P}(A^c)=\dfrac{_4\mathrm{C}_3}{_7\mathrm{C}_3}=\dfrac{4}{35}$$

따라서 구하는 확률은

$$\mathrm{P}(A)=1-\mathrm{P}(A^c)=1-\dfrac{4}{35}=\dfrac{31}{35}$$

091 달 $\dfrac{34}{35}$

적어도 1명은 여학생을 택하는 사건을 A라고 하면 A^c은 3명 모두 남학생을 택하는 사건이므로

$$\mathrm{P}(A^c)=\dfrac{_3\mathrm{C}_3}{_7\mathrm{C}_3}=\dfrac{1}{35}$$

따라서 구하는 확률은

$$\mathrm{P}(A)=1-\mathrm{P}(A^c)=1-\dfrac{1}{35}=\dfrac{34}{35}$$

092 달 $\dfrac{9}{10}$

카드에 적힌 수가 7의 배수인 사건을 A라고 하면 $A=\{7,\ 14\}$이므로

$$\mathrm{P}(A)=\dfrac{2}{20}=\dfrac{1}{10}$$

따라서 구하는 확률은

$$\mathrm{P}(A^c)=1-\mathrm{P}(A)=1-\dfrac{1}{10}=\dfrac{9}{10}$$

093 달 $\dfrac{3}{5}$

카드에 적힌 수가 소수인 사건을 A라고 하면 $A=\{2,\ 3,\ 5,\ 7,\ 11,\ 13,\ 17,\ 19\}$이므로

$$\mathrm{P}(A)=\dfrac{8}{20}=\dfrac{2}{5}$$

따라서 구하는 확률은

$$\mathrm{P}(A^c)=1-\mathrm{P}(A)=1-\dfrac{2}{5}=\dfrac{3}{5}$$

094 달 $1,\ 6,\ \dfrac{7}{64},\ \dfrac{57}{64}$

095 달 $\dfrac{57}{64}$

4문제 이하로 맞히는 사건을 A라고 하면 A^c은 모두 맞히거나 5문제만 맞히는 사건이다.

(i) 모두 맞힐 확률은 $\dfrac{_6\mathrm{C}_6}{_2\Pi_6}=\dfrac{1}{2^6}=\dfrac{1}{64}$

(ii) 5문제만 맞힐 확률은 $\dfrac{_6\mathrm{C}_5}{_2\Pi_6}=\dfrac{6}{2^6}=\dfrac{3}{32}$

(i), (ii)에 의하여 $\mathrm{P}(A^c)=\dfrac{1}{64}+\dfrac{3}{32}=\dfrac{7}{64}$이므로 구하는 확률은

$$\mathrm{P}(A)=1-\mathrm{P}(A^c)=1-\dfrac{7}{64}=\dfrac{57}{64}$$

096 달 $\dfrac{5}{6}$

두 눈의 수가 서로 다른 사건을 A라고 하면 A^c은 두 눈의 수가 서로 같은 사건이므로

$$\mathrm{P}(A^c)=\dfrac{6}{6\times 6}=\dfrac{1}{6}$$

따라서 구하는 확률은

$$\mathrm{P}(A)=1-\mathrm{P}(A^c)=1-\dfrac{1}{6}=\dfrac{5}{6}$$

097 달 $\dfrac{35}{36}$

두 눈의 수의 합이 3 이상인 사건을 A라고 하면 A^c은 두 눈의 수의 합이 2인 사건이므로

$$\mathrm{P}(A^c)=\dfrac{1}{6\times 6}=\dfrac{1}{36}$$

따라서 구하는 확률은

$$\mathrm{P}(A)=1-\mathrm{P}(A^c)=1-\dfrac{1}{36}=\dfrac{35}{36}$$

098 답 $\dfrac{5}{6}$

두 눈의 수의 차가 3 이하인 사건을 A라고 하면 A^c은 두 눈의 수의 차가 4 또는 5인 사건이다.

(i) 두 눈의 수의 차가 4인 경우는

$(1, 5), (2, 6), (5, 1), (6, 2)$ ➡ 4가지

두 눈의 수의 차가 4일 확률은

$\dfrac{4}{6 \times 6} = \dfrac{1}{9}$

(ii) 두 눈의 수의 차가 5인 경우는

$(1, 6), (6, 1)$ ➡ 2가지

두 눈의 수의 차가 5일 확률은

$\dfrac{2}{6 \times 6} = \dfrac{1}{18}$

(i), (ii)에 의하여 $P(A^c) = \dfrac{1}{9} + \dfrac{1}{18} = \dfrac{1}{6}$이므로 구하는 확률은

$P(A) = 1 - P(A^c) = 1 - \dfrac{1}{6} = \dfrac{5}{6}$

099 답 $\dfrac{5}{6}$

빨간 공이 2개 이상 나오는 사건을 A라고 하면 A^c은 모두 파란 공만 나오거나 빨간 공이 1개만 나오는 사건이다.

(i) 파란 공만 나올 확률은

$\dfrac{{}_4C_4}{{}_9C_4} = \dfrac{1}{126}$

(ii) 빨간 공이 1개, 파란 공이 3개 나올 확률은

$\dfrac{{}_5C_1 \times {}_4C_3}{{}_9C_4} = \dfrac{5 \times 4}{126} = \dfrac{10}{63}$

(i), (ii)에 의하여 $P(A^c) = \dfrac{1}{126} + \dfrac{10}{63} = \dfrac{1}{6}$이므로 구하는 확률은

$P(A) = 1 - P(A^c) = 1 - \dfrac{1}{6} = \dfrac{5}{6}$

100 답 $\dfrac{125}{126}$

파란 공이 3개 이하 나오는 사건을 A라고 하면 A^c은 모두 파란 공만 나오는 사건이므로

$P(A^c) = \dfrac{{}_4C_4}{{}_9C_4} = \dfrac{1}{126}$

따라서 구하는 확률은

$P(A) = 1 - P(A^c) = 1 - \dfrac{1}{126} = \dfrac{125}{126}$

연산유형 최종 점검하기

49~51쪽

1 ㄱ	**2** $\dfrac{2}{3}$	**3** ③	**4** $\dfrac{1}{5}$	**5** ④	**6** ②
7 $\dfrac{3}{7}$	**8** ②	**9** $\dfrac{32}{125}$	**10** $\dfrac{5}{8}$	**11** ㄱ, ㄷ	**12** $\dfrac{33}{100}$
13 0.8	**14** ③	**15** ①	**16** ②	**17** ④	**18** $\dfrac{9}{10}$

---

1 $A = \{1, 3, 5\}$, $B = \{2, 4, 6\}$, $C = \{3, 6\}$

ㄱ. $A \cap B = \varnothing$이므로 A와 B는 서로 배반이다.

ㄴ. $A \cap C = \{3\}$이므로 A와 C는 배반이 아니다.

ㄷ. $B \cap C = \{6\}$이므로 B와 C는 배반이 아니다.

따라서 보기 중 서로 배반사건인 것은 ㄱ이다.

2 지점 A에서 지점 B를 거쳐 지점 C로 가는 경우의 수는

$3 \times 2 = 6$

지점 A에서 지점 B를 거치지 않고 지점 C로 가는 경우의 수는 3

따라서 구하는 확률은

$\dfrac{6}{6 + 3} = \dfrac{2}{3}$

3 5개의 문자를 일렬로 배열하는 경우의 수는 5!

a를 맨 앞에 고정시키고 나머지 4개의 문자를 일렬로 배열하는 경우의 수는 4!

따라서 구하는 확률은

$\dfrac{4!}{5!} = \dfrac{1}{5}$

4 5개의 영역에 서로 다른 5가지 색을 칠하는 경우의 수는

$5 \times (4-1)! = 30$

가운데 있는 영역에 빨간색을 칠하고 나머지 영역에 남은 색을 칠하는 경우의 수는

$1 \times (4-1)! = 6$

따라서 구하는 확률은

$\dfrac{6}{30} = \dfrac{1}{5}$

5 5명을 3개의 반에 배정하는 경우의 수는

${}_3\Pi_5 = 3^5 = 243$

1반에 배정되는 학생 4명을 뽑고 나머지 학생 1명을 2반 또는 3반에 배정하는 경우의 수는

${}_5C_4 \times 2 = 10$

따라서 구하는 확률은

$\dfrac{10}{243}$

6 8개의 문자를 일렬로 배열하는 경우의 수는

$\dfrac{8!}{2! \times 2! \times 2!} = 5040$

모음 a, a를 한 문자로 생각하여 7개의 문자를 일렬로 배열하는 경우의 수는

$\dfrac{7!}{2! \times 2!} = 1260$

따라서 구하는 확률은

$\dfrac{1260}{5040} = \dfrac{1}{4}$

7 카드 4장을 뽑는 경우의 수는

$_{10}C_4=210$

♥가 그려진 카드와 ♣가 그려진 카드를 각각 2장씩 뽑는 경우의 수는

$_6C_2 \times _4C_2 = 15 \times 6 = 90$

따라서 구하는 확률은

$\dfrac{90}{210}=\dfrac{3}{7}$

8 $x+y+z=9$의 음이 아닌 정수해의 개수는 3개의 문자 x, y, z에서 중복을 허용하여 9개를 택하는 경우의 수와 같으므로

$_3H_9 = _{11}C_9 = 55$

$x+y+z=9$의 양의 정수해의 개수는 $X=x-1$, $Y=y-1$, $Z=z-1$이라고 할 때, $X+Y+Z=6$의 음이 아닌 정수해의 개수와 같으므로

$_3H_6 = _8C_6 = 28$

따라서 구하는 확률은

$\dfrac{28}{55}$

9 $\dfrac{128}{500}=\dfrac{32}{125}$

10 네 원의 넓이는 작은 원부터 각각 π, 4π, 9π, 16π이므로 색칠한 부분의 넓이는

$(4\pi-\pi)+(16\pi-9\pi)=10\pi$

따라서 구하는 확률은

$\dfrac{10\pi}{16\pi}=\dfrac{5}{8}$

11 ㄱ. $0 \leq P(A) \leq 1$

ㄴ. $0 \leq P(A \cup B) \leq 1$

ㄷ. $P(S)=1$, $P(\varnothing)=0$이므로

$P(S)+P(\varnothing)=1$

따라서 보기 중 옳은 것은 ㄱ, ㄷ이다.

12 수박을 좋아하는 학생을 택하는 사건을 A, 포도를 좋아하는 학생을 택하는 사건을 B라고 하면 구하는 확률은

$P(A \cup B)=P(A)+P(B)-P(A \cap B)$

$=\dfrac{25}{100}+\dfrac{20}{100}-\dfrac{12}{100}=\dfrac{33}{100}$

13 $P(A \cup B)=P(A)+P(B)-P(A \cap B)$에서

$P(A \cap B)=P(A)+P(B)-P(A \cup B)$

$=0.7+0.55-P(A \cup B)$

$=1.25-P(A \cup B)$

$P(A \cup B) \geq P(A)$, $P(A \cup B) \geq P(B)$, $0 \leq P(A \cup B) \leq 1$이므로

$0.7 \leq P(A \cup B) \leq 1$

따라서 $P(A \cap B)$가 최대이려면 $P(A \cup B)$가 최소이어야 하므로

$P(A \cup B)=0.7$일 때

$M=1.25-0.7=0.55$

$P(A \cap B)$가 최소이려면 $P(A \cup B)$가 최대이어야 하므로

$P(A \cup B)=1$일 때

$m=1.25-1=0.25$

$\therefore M+m=0.55+0.25=0.8$

14 c가 맨 앞에 오는 사건을 A, c가 맨 뒤에 오는 사건을 B라고 하면 두 사건 A, B는 서로 배반사건이다.

이때 $P(A)=\dfrac{5!}{6!}=\dfrac{1}{6}$, $P(B)=\dfrac{5!}{6!}=\dfrac{1}{6}$이므로 구하는 확률은

$P(A \cup B)=P(A)+P(B)$

$=\dfrac{1}{6}+\dfrac{1}{6}=\dfrac{1}{3}$

15 $P(A \cup B)=P(A)+P(B)-P(A \cap B)$

$=\dfrac{1}{5}+\dfrac{1}{2}-\dfrac{1}{10}=\dfrac{3}{5}$

$A^c \cap B^c = (A \cup B)^c$이므로

$P(A^c \cap B^c)=P((A \cup B)^c)$

$=1-P(A \cup B)$

$=1-\dfrac{3}{5}=\dfrac{2}{5}$

16 적어도 1개는 당첨 제비가 나오는 사건을 A라고 하면 A^c은 당첨 제비가 나오지 않는 사건이므로

$P(A^c)=\dfrac{_7C_2}{_{10}C_2}=\dfrac{21}{45}=\dfrac{7}{15}$

따라서 구하는 확률은

$P(A)=1-P(A^c)=1-\dfrac{7}{15}=\dfrac{8}{15}$

17 어린이 사이에 적어도 1명의 어른을 세우는 사건을 A라고 하면 A^c은 어린이끼리 이웃하는 사건이다.

어린이 2명을 한 사람으로 생각하여 4명을 일렬로 세우는 경우의 수는 4!이고, 어린이끼리 자리를 바꾸는 경우의 수는 2!이므로 어린이끼리 이웃하여 설 확률은

$P(A^c)=\dfrac{4! \times 2!}{5!}=\dfrac{2}{5}$

따라서 구하는 확률은

$P(A)=1-P(A^c)=1-\dfrac{2}{5}=\dfrac{3}{5}$

18 자연수가 33000 이하인 사건을 A라고 하면 A^c은 자연수가 33112 이상인 사건이다.

다섯 개의 숫자로 만들 수 있는 다섯 자리의 자연수의 개수는

$\dfrac{5!}{2! \times 2!}=30$

만의 자리와 천의 자리에 3을 놓고, 나머지 숫자 1, 1, 2를 일렬로 배열하는 경우의 수는 $\dfrac{3!}{2!}=3$이므로 33112 이상인 다섯 자리의 자연수일 확률은

$P(A^c)=\dfrac{3}{30}=\dfrac{1}{10}$

따라서 구하는 확률은

$P(A)=1-P(A^c)=1-\dfrac{1}{10}=\dfrac{9}{10}$

04 조건부확률

001 답 $\dfrac{5}{8}$

$P(B|A)=\dfrac{P(A\cap B)}{P(A)}=\dfrac{\frac{1}{4}}{\frac{2}{5}}=\dfrac{5}{8}$

002 답 $\dfrac{1}{2}$

$P(A|B)=\dfrac{P(A\cap B)}{P(B)}=\dfrac{\frac{1}{4}}{\frac{1}{2}}=\dfrac{1}{2}$

003 답 $\dfrac{3}{8}$

$P(B|A)=\dfrac{P(A\cap B)}{P(A)}=\dfrac{\frac{1}{8}}{\frac{1}{3}}=\dfrac{3}{8}$

004 답 $\dfrac{5}{8}$

$P(A|B)=\dfrac{P(A\cap B)}{P(B)}=\dfrac{\frac{1}{8}}{\frac{1}{5}}=\dfrac{5}{8}$

005 답 $\dfrac{1}{2}$

$P(A\cup B)=P(A)+P(B)-P(A\cap B)$에서

$\dfrac{7}{8}=\dfrac{3}{4}+\dfrac{1}{2}-P(A\cap B)$

$\therefore P(A\cap B)=\dfrac{3}{8}$

$\therefore P(B|A)=\dfrac{P(A\cap B)}{P(A)}=\dfrac{\frac{3}{8}}{\frac{3}{4}}=\dfrac{1}{2}$

006 답 $\dfrac{3}{4}$

$P(A|B)=\dfrac{P(A\cap B)}{P(B)}=\dfrac{\frac{3}{8}}{\frac{1}{2}}=\dfrac{3}{4}$

007 답 $\dfrac{3}{19}$

$P(A\cup B)=P(A)+P(B)-P(A\cap B)$에서

$\dfrac{14}{15}=P(A)+\dfrac{2}{5}-\dfrac{1}{10}$

$\therefore P(A)=\dfrac{19}{30}$

$\therefore P(B|A)=\dfrac{P(A\cap B)}{P(A)}=\dfrac{\frac{1}{10}}{\frac{19}{30}}=\dfrac{3}{19}$

008 답 $\dfrac{1}{4}$

$P(A|B)=\dfrac{P(A\cap B)}{P(B)}=\dfrac{\frac{1}{10}}{\frac{2}{5}}=\dfrac{1}{4}$

009 답 $\dfrac{2}{3}$

$A=\{2,\ 4,\ 6\}$, $B=\{1,\ 2,\ 3,\ 6\}$이므로

$A\cap B=\{2,\ 6\}$

따라서 $P(A)=\dfrac{3}{6}=\dfrac{1}{2}$, $P(A\cap B)=\dfrac{2}{6}=\dfrac{1}{3}$이므로

$P(B|A)=\dfrac{P(A\cap B)}{P(A)}=\dfrac{\frac{1}{3}}{\frac{1}{2}}=\dfrac{2}{3}$

010 답 $\dfrac{1}{2}$

$P(B)=\dfrac{4}{6}=\dfrac{2}{3}$이므로

$P(A|B)=\dfrac{P(A\cap B)}{P(B)}=\dfrac{\frac{1}{3}}{\frac{2}{3}}=\dfrac{1}{2}$

011 답 $\dfrac{1}{6}$

$A=\{3,\ 6,\ 9,\ 12,\ 15,\ 18\}$, $B=\{4,\ 8,\ 12,\ 16,\ 20\}$이므로

$A\cap B=\{12\}$

따라서 $P(A)=\dfrac{6}{20}=\dfrac{3}{10}$, $P(A\cap B)=\dfrac{1}{20}$이므로

$P(B|A)=\dfrac{P(A\cap B)}{P(A)}=\dfrac{\frac{1}{20}}{\frac{3}{10}}=\dfrac{1}{6}$

012 답 $\dfrac{1}{5}$

$P(B)=\dfrac{5}{20}=\dfrac{1}{4}$이므로

$P(A|B)=\dfrac{P(A\cap B)}{P(B)}=\dfrac{\frac{1}{20}}{\frac{1}{4}}=\dfrac{1}{5}$

013 답 $\dfrac{1}{2}$, $\dfrac{1}{3}$, A, $\dfrac{2}{3}$

014 답 $\dfrac{1}{3}$

2의 배수의 눈이 나오는 사건을 A, 소수의 눈이 나오는 사건을 B라고 하면

$A=\{2,\ 4,\ 6\}$, $B=\{2,\ 3,\ 5\}$, $A\cap B=\{2\}$

$\therefore P(A)=\dfrac{3}{6}=\dfrac{1}{2}$, $P(A\cap B)=\dfrac{1}{6}$

따라서 구하는 확률은

$P(B|A)=\dfrac{P(A\cap B)}{P(A)}=\dfrac{\frac{1}{6}}{\frac{1}{2}}=\dfrac{1}{3}$

015 답 $\frac{1}{3}$

앞면이 한 개 나오는 사건을 A, 100원짜리 동전이 앞면이 나오는 사건을 B라고 하면

$P(A)=\frac{3}{8}$, $P(A \cap B)=\frac{1}{8}$

따라서 구하는 확률은

$P(B|A)=\frac{P(A \cap B)}{P(A)}=\frac{\frac{1}{8}}{\frac{3}{8}}=\frac{1}{3}$

016 답 $\frac{2}{5}$

두 눈의 수의 합이 6인 경우는

$(1, 5), (2, 4), (3, 3), (4, 2), (5, 1)$

두 눈의 수의 합이 6인 사건을 A, 두 눈의 수가 모두 짝수인 사건을 B라고 하면

$P(A)=\frac{5}{36}$, $P(A \cap B)=\frac{2}{36}=\frac{1}{18}$

따라서 구하는 확률은

$P(B|A)=\frac{P(A \cap B)}{P(A)}=\frac{\frac{1}{18}}{\frac{5}{36}}=\frac{2}{5}$

017 답 $\frac{3}{5}$, $\frac{3}{10}$, A, $\frac{1}{2}$

018 답 $\frac{1}{3}$

글짓기 대회에 참가하지 않는 학생을 택하는 사건을 A, 여학생을 택하는 사건을 B라고 하면

$P(A)=\frac{12}{30}=\frac{2}{5}$, $P(A \cap B)=\frac{4}{30}=\frac{2}{15}$

따라서 구하는 확률은

$P(B|A)=\frac{P(A \cap B)}{P(A)}=\frac{\frac{2}{15}}{\frac{2}{5}}=\frac{1}{3}$

019 답 $\frac{4}{13}$

여학생을 택하는 사건을 A, 글짓기 대회에 참가하지 않는 학생을 택하는 사건을 B라고 하면

$P(A)=\frac{13}{30}$, $P(A \cap B)=\frac{4}{30}=\frac{2}{15}$

따라서 구하는 확률은

$P(B|A)=\frac{P(A \cap B)}{P(A)}=\frac{\frac{2}{15}}{\frac{13}{30}}=\frac{4}{13}$

020 답 $\frac{9}{25}$

1학년 학생을 택하는 사건을 A, 사회를 선호하는 학생을 택하는 사건을 B라고 하면

$P(A)=\frac{100}{180}=\frac{5}{9}$, $P(A \cap B)=\frac{36}{180}=\frac{1}{5}$

따라서 구하는 확률은

$P(B|A)=\frac{P(A \cap B)}{P(A)}=\frac{\frac{1}{5}}{\frac{5}{9}}=\frac{9}{25}$

021 답 $\frac{9}{20}$

2학년 학생을 택하는 사건을 A, 과학을 선호하는 학생을 택하는 사건을 B라고 하면

$P(A)=\frac{80}{180}=\frac{4}{9}$, $P(A \cap B)=\frac{36}{180}=\frac{1}{5}$

따라서 구하는 확률은

$P(B|A)=\frac{P(A \cap B)}{P(A)}=\frac{\frac{1}{5}}{\frac{4}{9}}=\frac{9}{20}$

022 답 $\frac{16}{25}$

과학을 선호하는 학생을 택하는 사건을 A, 1학년 학생을 택하는 사건을 B라고 하면

$P(A)=\frac{100}{180}=\frac{5}{9}$, $P(A \cap B)=\frac{64}{180}=\frac{16}{45}$

따라서 구하는 확률은

$P(B|A)=\frac{P(A \cap B)}{P(A)}=\frac{\frac{16}{45}}{\frac{5}{9}}=\frac{16}{25}$

023 답 $\frac{1}{16}$

$P(A \cap B)=P(B)P(A|B)=\frac{1}{2} \times \frac{1}{8}=\frac{1}{16}$

024 답 $\frac{3}{16}$

$P(B|A)=\frac{P(A \cap B)}{P(A)}=\frac{\frac{1}{16}}{\frac{1}{3}}=\frac{3}{16}$

025 답 0.06

$P(A \cap B)=P(A)P(B|A)=0.3 \times 0.2=0.06$

026 답 0.15

$P(A|B)=\frac{P(A \cap B)}{P(B)}=\frac{0.06}{0.4}=0.15$

027 답 5, 4, $\frac{1}{19}$

028 답 $\frac{21}{38}$

첫 번째에 검은 공이 나오는 사건을 A, 두 번째에 검은 공이 나오는 사건을 B라고 하면

$P(A)=\frac{15}{20}=\frac{3}{4}$, $P(B|A)=\frac{14}{19}$

따라서 구하는 확률은

$P(A \cap B)=P(A)P(B|A)=\frac{3}{4} \times \frac{14}{19}=\frac{21}{38}$

029 답 $\dfrac{15}{76}$

첫 번째에 검은 공이 나오는 사건을 A, 두 번째에 흰 공이 나오는
사건을 B라고 하면

$\mathrm{P}(A)=\dfrac{15}{20}=\dfrac{3}{4}$, $\mathrm{P}(B|A)=\dfrac{5}{19}$

따라서 구하는 확률은

$\mathrm{P}(A\cap B)=\mathrm{P}(A)\mathrm{P}(B|A)$

$\qquad =\dfrac{3}{4}\times\dfrac{5}{19}=\dfrac{15}{76}$

030 답 $\dfrac{2}{15}$

진영이가 당첨되는 사건을 A, 경민이가 당첨되는 사건을 B라고
하면

$\mathrm{P}(A)=\dfrac{4}{10}=\dfrac{2}{5}$, $\mathrm{P}(B|A)=\dfrac{3}{9}=\dfrac{1}{3}$

따라서 구하는 확률은

$\mathrm{P}(A\cap B)=\mathrm{P}(A)\mathrm{P}(B|A)$

$\qquad =\dfrac{2}{5}\times\dfrac{1}{3}=\dfrac{2}{15}$

031 답 $\dfrac{4}{15}$

진영이가 당첨되는 사건을 A, 경민이가 당첨되지 않는 사건을 B
라고 하면

$\mathrm{P}(A)=\dfrac{4}{10}=\dfrac{2}{5}$, $\mathrm{P}(B|A)=\dfrac{6}{9}=\dfrac{2}{3}$

따라서 구하는 확률은

$\mathrm{P}(A\cap B)=\mathrm{P}(A)\mathrm{P}(B|A)$

$\qquad =\dfrac{2}{5}\times\dfrac{2}{3}=\dfrac{4}{15}$

032 답 $\dfrac{1}{22}$

처음 먹은 송편에 밤이 들어 있는 사건을 A, 두 번째 먹은 송편에
밤이 들어 있는 사건을 B라고 하면

$\mathrm{P}(A)=\dfrac{3}{12}=\dfrac{1}{4}$, $\mathrm{P}(B|A)=\dfrac{2}{11}$

따라서 구하는 확률은

$\mathrm{P}(A\cap B)=\mathrm{P}(A)\mathrm{P}(B|A)$

$\qquad =\dfrac{1}{4}\times\dfrac{2}{11}=\dfrac{1}{22}$

033 답 $\dfrac{9}{44}$

처음 먹은 송편에 밤이 들어 있는 사건을 A, 두 번째 먹은 송편에
깨가 들어 있는 사건을 B라고 하면

$\mathrm{P}(A)=\dfrac{3}{12}=\dfrac{1}{4}$, $\mathrm{P}(B|A)=\dfrac{9}{11}$

따라서 구하는 확률은

$\mathrm{P}(A\cap B)=\mathrm{P}(A)\mathrm{P}(B|A)$

$\qquad =\dfrac{1}{4}\times\dfrac{9}{11}=\dfrac{9}{44}$

034 답 $\dfrac{1}{5}$, $\dfrac{1}{7}$, $\dfrac{1}{35}$, $\dfrac{4}{5}$, $\dfrac{3}{14}$, $\dfrac{6}{35}$, $\dfrac{1}{5}$

035 답 $\dfrac{4}{9}$

첫 번째에 노란 장미가 나오는 사건을 A, 두 번째에 노란 장미가
나오는 사건을 B라고 하자.

이때 사건 B가 일어나는 것은 첫 번째와 두 번째 모두 노란 장미
가 나오거나, 첫 번째에 빨간 장미가 나오고 두 번째에 노란 장미
가 나오는 경우이다.

(i) $\mathrm{P}(A)=\dfrac{8}{18}=\dfrac{4}{9}$, $\mathrm{P}(B|A)=\dfrac{7}{17}$

첫 번째와 두 번째 모두 노란 장미가 나올 확률은

$\mathrm{P}(A\cap B)=\mathrm{P}(A)\mathrm{P}(B|A)=\dfrac{4}{9}\times\dfrac{7}{17}=\dfrac{28}{153}$

(ii) 첫 번째에 빨간 장미가 나오는 사건은 A^c이므로

$\mathrm{P}(A^c)=\dfrac{10}{18}=\dfrac{5}{9}$, $\mathrm{P}(B|A^c)=\dfrac{8}{17}$

첫 번째에 빨간 장미가 나오고 두 번째에 노란 장미가 나올 확
률은

$\mathrm{P}(A^c\cap B)=\mathrm{P}(A^c)\mathrm{P}(B|A^c)=\dfrac{5}{9}\times\dfrac{8}{17}=\dfrac{40}{153}$

따라서 구하는 확률은

$\mathrm{P}(B)=\mathrm{P}(A\cap B)+\mathrm{P}(A^c\cap B)=\dfrac{28}{153}+\dfrac{40}{153}=\dfrac{4}{9}$

036 답 $\dfrac{7}{12}$

갑이 자몽 음료를 꺼내는 사건을 A, 을이 자몽 음료를 꺼내는 사
건을 B라고 하자.

이때 사건 B가 일어나는 것은 갑, 을 모두 자몽 음료를 꺼내거나,
갑이 포도 음료를 꺼내고 을이 자몽 음료를 꺼내는 경우이다.

(i) $\mathrm{P}(A)=\dfrac{7}{12}$, $\mathrm{P}(B|A)=\dfrac{6}{11}$

갑, 을 모두 자몽 음료를 꺼낼 확률은

$\mathrm{P}(A\cap B)=\mathrm{P}(A)\mathrm{P}(B|A)=\dfrac{7}{12}\times\dfrac{6}{11}=\dfrac{7}{22}$

(ii) 갑이 포도 음료를 꺼내는 사건은 A^c이므로

$\mathrm{P}(A^c)=\dfrac{5}{12}$, $\mathrm{P}(B|A^c)=\dfrac{7}{11}$

갑이 포도 음료를 꺼내고 을이 자몽 음료를 꺼낼 확률은

$\mathrm{P}(A^c\cap B)=\mathrm{P}(A^c)\mathrm{P}(B|A^c)=\dfrac{5}{12}\times\dfrac{7}{11}=\dfrac{35}{132}$

따라서 구하는 확률은

$\mathrm{P}(B)=\mathrm{P}(A\cap B)+\mathrm{P}(A^c\cap B)=\dfrac{7}{22}+\dfrac{35}{132}=\dfrac{7}{12}$

037 답 $\dfrac{1}{2}$, $\dfrac{1}{3}$, $\dfrac{1}{6}$, $=$, 독립

038 답 종속

$\mathrm{P}(B)=\dfrac{1}{3}$, $\mathrm{P}(C)=\dfrac{1}{3}$, $\mathrm{P}(B\cap C)=0$이므로

$\mathrm{P}(B\cap C)\neq\mathrm{P}(B)\mathrm{P}(C)$

따라서 두 사건 B와 C는 서로 종속이다.

039 답 독립

$P(A)=\dfrac{1}{2}$, $P(C)=\dfrac{1}{3}$, $P(A\cap C)=\dfrac{1}{6}$이므로

$P(A\cap C)=P(A)P(C)$

따라서 두 사건 A와 C는 서로 독립이다.

040 답 종속

$A=\{1,\ 3,\ 5,\ 7,\ 9\}$, $B=\{3,\ 6,\ 9\}$에서 $A\cap B=\{3,\ 9\}$

$P(A)=\dfrac{1}{2}$, $P(B)=\dfrac{3}{10}$, $P(A\cap B)=\dfrac{1}{5}$이므로

$P(A\cap B)\neq P(A)P(B)$

따라서 두 사건 A와 B는 서로 종속이다.

041 답 종속

$B=\{3,\ 6,\ 9\}$, $C=\{1,\ 2,\ 5,\ 10\}$에서 $B\cap C=\varnothing$

$P(B)=\dfrac{3}{10}$, $P(C)=\dfrac{2}{5}$, $P(B\cap C)=0$이므로

$P(B\cap C)\neq P(B)P(C)$

따라서 두 사건 B와 C는 서로 종속이다.

042 답 독립

$A\cap C=\{1,\ 5\}$

$P(A)=\dfrac{1}{2}$, $P(C)=\dfrac{2}{5}$, $P(A\cap C)=\dfrac{1}{5}$이므로

$P(A\cap C)=P(A)P(C)$

따라서 두 사건 A와 C는 서로 독립이다.

043 답 $\dfrac{2}{5}$

두 사건 A, B가 서로 독립이므로

$P(A\,|\,B)=P(A)=\dfrac{2}{5}$

044 답 $\dfrac{1}{2}$

두 사건 A, B가 서로 독립이므로

$P(B\,|\,A)=P(B)=\dfrac{1}{2}$

045 답 $\dfrac{1}{5}$

두 사건 A, B가 서로 독립이므로

$P(A\cap B)=P(A)P(B)=\dfrac{2}{5}\times\dfrac{1}{2}=\dfrac{1}{5}$

046 답 $\dfrac{2}{5}$

두 사건 A, B^c이 서로 독립이므로

$P(A\,|\,B^c)=P(A)=\dfrac{2}{5}$

047 답 $\dfrac{1}{2}$

두 사건 A^c, B^c이 서로 독립이므로

$P(B^c\,|\,A^c)=P(B^c)=1-P(B)=1-\dfrac{1}{2}=\dfrac{1}{2}$

048 답 $\dfrac{3}{10}$

두 사건 A^c, B가 서로 독립이므로

$P(A^c\cap B)=P(A^c)P(B)=\{1-P(A)\}P(B)$
$\qquad\qquad\ =\left(1-\dfrac{2}{5}\right)\times\dfrac{1}{2}=\dfrac{3}{10}$

049 답 0.4

두 사건 A, B가 서로 독립이므로

$P(A)=P(A\,|\,B)=0.4$

050 답 0.3

두 사건 A, B가 서로 독립이므로

$P(B)=P(B\,|\,A)=0.3$

051 답 0.12

두 사건 A, B가 서로 독립이므로

$P(A\cap B)=P(A)P(B)=0.4\times0.3=0.12$

052 답 0.28

두 사건 A, B^c이 서로 독립이므로

$P(A\cap B^c)=P(A)P(B^c)=P(A)\{1-P(B)\}$
$\qquad\qquad\ =0.4\times(1-0.3)=0.28$

053 답 0.18

두 사건 A^c, B가 서로 독립이므로

$P(A^c\cap B)=P(A^c)P(B)=\{1-P(A)\}P(B)$
$\qquad\qquad\ =(1-0.4)\times0.3=0.18$

054 답 0.88

$P(A^c\cup B^c)=P((A\cap B)^c)=1-P(A\cap B)=1-0.12=0.88$

055 답 $\dfrac{1}{4}$

주사위의 짝수의 눈이 나오는 사건을 A, 동전의 뒷면이 나오는 사건을 B라고 하면 두 사건 A, B는 서로 독립이므로 구하는 확률은

$P(A\cap B)=P(A)P(B)=\dfrac{1}{2}\times\dfrac{1}{2}=\dfrac{1}{4}$

056 답 $\dfrac{1}{6}$

주사위의 5의 약수의 눈이 나오는 사건을 A, 동전의 앞면이 나오는 사건을 B라고 하면 두 사건 A, B는 서로 독립이므로 구하는 확률은

$P(A\cap B)=P(A)P(B)=\dfrac{1}{3}\times\dfrac{1}{2}=\dfrac{1}{6}$

057 답 $\dfrac{1}{10}$

두 시험 A, B에 합격하는 사건을 각각 A, B라고 하면 두 사건 A, B는 서로 독립이므로 구하는 확률은

$P(A\cap B)=P(A)P(B)=\dfrac{50}{100}\times\dfrac{20}{100}=\dfrac{1}{10}$

058 답 $\dfrac{2}{5}$

두 시험 A, B에 합격하는 사건을 각각 A, B라고 하면 두 사건 A, B^c은 서로 독립이므로 구하는 확률은

$$P(A \cap B^c) = P(A)P(B^c) = P(A)\{1-P(B)\}$$
$$= \frac{50}{100} \times \left(1-\frac{20}{100}\right) = \frac{2}{5}$$

059 답 0.48, 0.92, 0.08, 0.92

060 답 $\dfrac{11}{12}$

두 식물 A, B가 일 년 후 생존하는 사건을 각각 A, B라고 하면 두 사건 A, B는 서로 독립이므로

$$P(A \cap B) = P(A)P(B) = \frac{3}{4} \times \frac{2}{3} = \frac{1}{2}$$

따라서 구하는 확률은

$$P(A \cup B) = P(A) + P(B) - P(A \cap B) = \frac{3}{4} + \frac{2}{3} - \frac{1}{2} = \frac{11}{12}$$

다른 풀이

두 사건 A^c, B^c은 서로 독립이므로 두 식물 중 어느 한 식물도 일 년 후 생존하지 못할 확률은

$$P(A^c \cap B^c) = P(A^c)P(B^c) = \left(1-\frac{3}{4}\right)\left(1-\frac{2}{3}\right) = \frac{1}{12}$$

따라서 구하는 확률은

$$1 - P(A^c \cap B^c) = 1 - \frac{1}{12} = \frac{11}{12}$$

061 답 $\dfrac{4}{5}$

두 선수 A, B가 자유투를 성공하는 사건을 각각 A, B라고 하면 두 사건 A, B는 서로 독립이므로

$$P(A \cap B) = P(A)P(B) = \frac{1}{2} \times \frac{3}{5} = \frac{3}{10}$$

따라서 구하는 확률은

$$P(A \cup B) = P(A) + P(B) - P(A \cap B) = \frac{1}{2} + \frac{3}{5} - \frac{3}{10} = \frac{4}{5}$$

다른 풀이

두 사건 A^c, B^c은 서로 독립이므로 두 선수가 모두 자유투를 실패할 확률은

$$P(A^c \cap B^c) = P(A^c)P(B^c) = \left(1-\frac{1}{2}\right)\left(1-\frac{3}{5}\right) = \frac{1}{5}$$

따라서 구하는 확률은

$$1 - P(A^c \cap B^c) = 1 - \frac{1}{5} = \frac{4}{5}$$

062 답 $\dfrac{1}{2}$, $\dfrac{1}{2}$, $\dfrac{1}{2}$, $\dfrac{1}{4}$

063 답 $\dfrac{8}{27}$

주사위를 1번 던져서 3의 배수의 눈이 나오는 사건을 A라고 하면

$$P(A) = \frac{1}{3}$$

각 시행은 서로 독립이므로 구하는 확률은

$$_4C_2 \left(\frac{1}{3}\right)^2 \left(\frac{2}{3}\right)^2 = \frac{8}{27}$$

064 답 $\dfrac{8}{81}$

주사위를 1번 던져서 6의 약수의 눈이 나오는 사건을 A라고 하면

$$P(A) = \frac{2}{3}$$

각 시행은 서로 독립이므로 구하는 확률은

$$_4C_1 \left(\frac{2}{3}\right)^1 \left(\frac{1}{3}\right)^3 = \frac{8}{81}$$

065 답 $\dfrac{9}{64}$

1발을 쏘아서 과녁의 10점에 맞히는 사건을 A라고 하면

$$P(A) = \frac{1}{4}$$

각 시행은 서로 독립이므로 구하는 확률은

$$_3C_2 \left(\frac{1}{4}\right)^2 \left(\frac{3}{4}\right)^1 = \frac{9}{64}$$

066 답 $\dfrac{27}{128}$

$$_4C_2 \left(\frac{1}{4}\right)^2 \left(\frac{3}{4}\right)^2 = \frac{27}{128}$$

067 답 $\dfrac{135}{512}$

$$_5C_2 \left(\frac{1}{4}\right)^2 \left(\frac{3}{4}\right)^3 = \frac{135}{512}$$

068 답 $\dfrac{1}{5}$, $\dfrac{4}{5}$, $\dfrac{16}{625}$, $\dfrac{1}{5}$, $\dfrac{4}{5}$, $\dfrac{1}{625}$, $\dfrac{16}{625}$, $\dfrac{1}{625}$, $\dfrac{17}{625}$

069 답 $\dfrac{13}{125}$

(i) 3문제 중에서 2문제를 맞힐 확률은

$$_3C_2 \left(\frac{1}{5}\right)^2 \left(\frac{4}{5}\right)^1 = \frac{12}{125}$$

(ii) 3문제 모두 맞힐 확률은

$$_3C_3 \left(\frac{1}{5}\right)^3 \left(\frac{4}{5}\right)^0 = \frac{1}{125}$$

(i), (ii)에 의하여 구하는 확률은

$$\frac{12}{125} + \frac{1}{125} = \frac{13}{125}$$

070 답 $\dfrac{181}{3125}$

(i) 5문제 중에서 3문제를 맞힐 확률은

$$_5C_3 \left(\frac{1}{5}\right)^3 \left(\frac{4}{5}\right)^2 = \frac{32}{625}$$

(ii) 5문제 중에서 4문제를 맞힐 확률은

$$_5C_4 \left(\frac{1}{5}\right)^4 \left(\frac{4}{5}\right)^1 = \frac{4}{625}$$

(iii) 5문제 모두 맞힐 확률은

$$_5C_5 \left(\frac{1}{5}\right)^5 \left(\frac{4}{5}\right)^0 = \frac{1}{3125}$$

(i), (ii), (iii)에 의하여 구하는 확률은

$$\frac{32}{625} + \frac{4}{625} + \frac{1}{3125} = \frac{181}{3125}$$

071 답 $\dfrac{1}{2}$, $\dfrac{1}{2}$, $\dfrac{1}{2}$, $\dfrac{1}{2}$, $\dfrac{1}{2}$, $\dfrac{3}{16}$, $\dfrac{1}{2}$, $\dfrac{1}{2}$, $\dfrac{1}{2}$, $\dfrac{3}{16}$, $\dfrac{3}{16}$, $\dfrac{3}{16}$, $\dfrac{3}{8}$

072 답 $\dfrac{3}{8}$

(ⅰ) A가 우승자가 되는 경우

A가 세 번째까지는 2번 이기고 네 번째에서 이겨야 하므로

$_3C_2\left(\dfrac{1}{2}\right)^2\left(\dfrac{1}{2}\right)^1\times\dfrac{1}{2}=\dfrac{3}{16}$

(ⅱ) B가 우승자가 되는 경우

B가 세 번째까지는 2번 이기고 네 번째에서 이겨야 하므로

$_3C_2\left(\dfrac{1}{2}\right)^2\left(\dfrac{1}{2}\right)^1\times\dfrac{1}{2}=\dfrac{3}{16}$

(ⅰ), (ⅱ)에 의하여 구하는 확률은

$\dfrac{3}{16}+\dfrac{3}{16}=\dfrac{3}{8}$

073 답 $\dfrac{1}{4}$

(ⅰ) A가 우승자가 되는 경우

A가 네 번째까지는 3번 이기고 다섯 번째에서 이겨야 하므로

$_4C_3\left(\dfrac{1}{2}\right)^3\left(\dfrac{1}{2}\right)^1\times\dfrac{1}{2}=\dfrac{1}{8}$

(ⅱ) B가 우승자가 되는 경우

B가 네 번째까지는 3번 이기고 다섯 번째에서 이겨야 하므로

$_4C_3\left(\dfrac{1}{2}\right)^3\left(\dfrac{1}{2}\right)^1\times\dfrac{1}{2}=\dfrac{1}{8}$

(ⅰ), (ⅱ)에 의하여 구하는 확률은

$\dfrac{1}{8}+\dfrac{1}{8}=\dfrac{1}{4}$

연산 유형 최종 점검하기

64~65쪽

1 ③	2 $\dfrac{4}{9}$	3 $\dfrac{2}{5}$	4 $\dfrac{1}{5}$	5 $\dfrac{39}{95}$	6 ⑤
7 ㄱ, ㄴ	8 ②	9 $\dfrac{8}{25}$	10 $\dfrac{12}{25}$	11 $\dfrac{216}{625}$	12 ②

1 $P(B|A)-P(A|B)=\dfrac{P(A\cap B)}{P(A)}-\dfrac{P(A\cap B)}{P(B)}$

$=\dfrac{0.1}{0.3}-\dfrac{0.1}{0.5}=\dfrac{2}{15}$

2 두 사건 A, B가 서로 배반사건이면 $A\cap B=\varnothing$이므로

$A\subset B^c$

$\therefore A\cap B^c=A$

$\therefore P(A|B^c)=\dfrac{P(A\cap B^c)}{P(B^c)}=\dfrac{P(A)}{1-P(B)}$

$=\dfrac{\dfrac{1}{3}}{1-\dfrac{1}{4}}=\dfrac{4}{9}$

3 노란 공을 꺼내는 사건을 A, 3의 배수가 적힌 공을 꺼내는 사건을 B라고 하면

$P(A)=\dfrac{5}{9}$, $P(A\cap B)=\dfrac{2}{9}$

따라서 구하는 확률은

$P(B|A)=\dfrac{P(A\cap B)}{P(A)}=\dfrac{\dfrac{2}{9}}{\dfrac{5}{9}}=\dfrac{2}{5}$

4 A 전시회를 관람한 사람을 택하는 사건을 A, B 전시회를 관람한 사람을 택하는 사건을 B라고 하면 구하는 확률은

$P(B|A)=\dfrac{P(A\cap B)}{P(A)}=\dfrac{\dfrac{16}{160}}{\dfrac{64+16}{160}}=\dfrac{1}{5}$

5 첫 번째에 여학생을 뽑는 사건을 A, 두 번째에 여학생을 뽑는 사건을 B라고 하면

$P(A)=\dfrac{13}{20}$, $P(B|A)=\dfrac{12}{19}$

따라서 구하는 확률은

$P(A\cap B)=P(A)P(B|A)$

$=\dfrac{13}{20}\times\dfrac{12}{19}=\dfrac{39}{95}$

6 경기를 하는 날에 비가 오는 사건을 A, 경기에 이기는 사건을 B라고 하자.

이때 사건 B가 일어나는 것은 비가 오고 경기에 이기거나, 비가 오지 않고 경기에 이기는 경우이다.

(ⅰ) 경기를 하는 날에 비가 오고 경기에 이기는 확률은

$P(A\cap B)=P(A)P(B|A)$

$=0.4\times0.3=0.12$

(ⅱ) 경기를 하는 날에 비가 오지 않는 사건은 A^c이므로 경기를 하는 날에 비가 오지 않고 경기에 이기는 확률은

$P(A^c\cap B)=P(A^c)P(B|A^c)$

$=(1-0.4)\times0.7=0.42$

따라서 구하는 확률은

$P(B)=P(A\cap B)+P(A^c\cap B)=0.12+0.42=0.54$

7 ㄱ. $P(A)=\dfrac{1}{2}$, $P(B)=\dfrac{1}{2}$, $P(A\cap B)=\dfrac{1}{4}$이므로

$P(A\cap B)=P(A)P(B)$

따라서 두 사건 A와 B는 서로 독립이다.

ㄴ. $P(A)=\dfrac{1}{2}$, $P(D)=\dfrac{1}{2}$, $P(A\cap D)=\dfrac{1}{4}$이므로

$P(A\cap D)=P(A)P(D)$

따라서 두 사건 A와 D는 서로 독립이다.

ㄷ. $P(B)=\dfrac{1}{2}$, $P(C)=\dfrac{1}{4}$, $P(B\cap C)=0$이므로

$P(B\cap C)\neq P(B)P(C)$

따라서 두 사건 B와 C는 서로 종속이다.

ㄹ. $P(C)=\dfrac{1}{4}$, $P(D)=\dfrac{1}{2}$, $P(C \cap D)=0$이므로

$P(C \cap D) \neq P(C)P(D)$

따라서 두 사건 C와 D는 서로 종속이다.

따라서 보기 중 서로 독립인 사건은 ㄱ, ㄴ이다.

8 두 사건 A, B가 서로 독립이므로

$P(A)=P(A|B)=0.5$

$P(B)=P(B|A)=0.4$

두 사건 A^C, B도 서로 독립이므로

$P(A^C \cap B)=P(A^C)P(B)$

$\qquad\qquad =\{1-P(A)\}P(B)$

$\qquad\qquad =(1-0.5) \times 0.4=0.2$

9 1번 문제를 맞히는 사건을 A, 2번 문제를 맞히는 사건을 B라고 하면 두 사건 A, B^C은 서로 독립이므로 구하는 확률은

$P(A \cap B^C)=P(A)P(B^C)$

$\qquad\qquad =P(A)\{1-P(B)\}$

$\qquad\qquad =\dfrac{80}{100} \times \left(1-\dfrac{60}{100}\right)=\dfrac{8}{25}$

10 A 주머니에서 빨간 구슬이 나오는 사건을 A, B 주머니에서 빨간 구슬이 나오는 사건을 B라고 하면 두 사건 A, B^C 및 두 사건 A^C, B는 각각 서로 독립이다.

(i) A 주머니에서 빨간 구슬이 나오고, B 주머니에서 초록 구슬이 나올 확률은

$P(A \cap B^C)=P(A)P(B^C)$

$\qquad\qquad =\dfrac{4}{10} \times \dfrac{3}{5}=\dfrac{6}{25}$

(ii) A 주머니에서 초록 구슬이 나오고, B 주머니에서 빨간 구슬이 나올 확률은

$P(A^C \cap B)=P(A^C)P(B)$

$\qquad\qquad =\dfrac{6}{10} \times \dfrac{2}{5}=\dfrac{6}{25}$

(i), (ii)에 의하여 구하는 확률은

$\dfrac{6}{25}+\dfrac{6}{25}=\dfrac{12}{25}$

11 비가 오는 사건을 A라고 하면

$P(A)=\dfrac{12}{30}=\dfrac{2}{5}$

각 시행은 독립이므로 구하는 확률은

${}_4C_1\left(\dfrac{2}{5}\right)^1\left(\dfrac{3}{5}\right)^3=\dfrac{216}{625}$

12 (i) 4번 중에서 3번을 성공할 확률은

${}_4C_3\left(\dfrac{1}{3}\right)^3\left(\dfrac{2}{3}\right)^1=\dfrac{8}{81}$

(ii) 4번 모두 성공할 확률은

${}_4C_4\left(\dfrac{1}{3}\right)^4\left(\dfrac{2}{3}\right)^0=\dfrac{1}{81}$

(i), (ii)에 의하여 구하는 확률은

$\dfrac{8}{81}+\dfrac{1}{81}=\dfrac{1}{9}$

05 이산확률변수와 이항분포

001 탑 HH, TH, TT

002 탑 0, 1, 2

003 탑 1, 2, $\dfrac{1}{4}$, $\dfrac{1}{4}$

004 탑 BB, RR

005 탑 0, 1, 2

006 탑 0, 1, 2, $\dfrac{3}{10}$, $\dfrac{3}{5}$, $\dfrac{1}{10}$

$P(X=0)=\dfrac{{}_2C_0 \times {}_3C_2}{{}_5C_2}=\dfrac{3}{10}$

$P(X=1)=\dfrac{{}_2C_1 \times {}_3C_1}{{}_5C_2}=\dfrac{3}{5}$

$P(X=2)=\dfrac{{}_2C_2 \times {}_3C_0}{{}_5C_2}=\dfrac{1}{10}$

007 탑 이산확률변수이다.

008 탑 이산확률변수이다.

009 탑 이산확률변수가 아니다.

010 탑 이산확률변수가 아니다.

011 탑 2, x, 2, x, 2, 2

012 탑 0, 1, 2, $\dfrac{1}{15}$, $\dfrac{8}{15}$, $\dfrac{2}{5}$

$P(X=0)=\dfrac{{}_4C_0 \times {}_2C_2}{{}_6C_2}=\dfrac{1}{15}$

$P(X=1)=\dfrac{{}_4C_1 \times {}_2C_1}{{}_6C_2}=\dfrac{8}{15}$

$P(X=2)=\dfrac{{}_4C_2 \times {}_2C_0}{{}_6C_2}=\dfrac{2}{5}$

013 탑 0, 1, 2, 3, $\dfrac{1}{8}$, $\dfrac{3}{8}$, $\dfrac{3}{8}$, $\dfrac{1}{8}$

확률변수 X가 가지는 값은 0, 1, 2, 3이고 각 값을 가질 확률은

$P(X=0)={}_3C_0\left(\dfrac{1}{2}\right)^0\left(\dfrac{1}{2}\right)^3=\dfrac{1}{8}$

$P(X=1)={}_3C_1\left(\dfrac{1}{2}\right)^1\left(\dfrac{1}{2}\right)^2=\dfrac{3}{8}$

$P(X=2)={}_3C_2\left(\dfrac{1}{2}\right)^2\left(\dfrac{1}{2}\right)^1=\dfrac{3}{8}$

$P(X=3)={}_3C_3\left(\dfrac{1}{2}\right)^3\left(\dfrac{1}{2}\right)^0=\dfrac{1}{8}$

014 답 $0, 1, 2, \dfrac{1}{10}, \dfrac{3}{5}, \dfrac{3}{10}$

확률변수 X가 가지는 값은 $0, 1, 2$이고 각 값을 가질 확률은

$P(X=0)=\dfrac{_3C_0\times_2C_2}{_5C_2}=\dfrac{1}{10}$

$P(X=1)=\dfrac{_3C_1\times_2C_1}{_5C_2}=\dfrac{3}{5}$

$P(X=2)=\dfrac{_3C_2\times_2C_0}{_5C_2}=\dfrac{3}{10}$

015 답 $0, 1, 2, 3, \dfrac{4}{35}, \dfrac{18}{35}, \dfrac{12}{35}, \dfrac{1}{35}$

확률변수 X가 가지는 값은 $0, 1, 2, 3$이고 각 값을 가질 확률은

$P(X=0)=\dfrac{_3C_0\times_4C_3}{_7C_3}=\dfrac{4}{35}$

$P(X=1)=\dfrac{_3C_1\times_4C_2}{_7C_3}=\dfrac{18}{35}$

$P(X=2)=\dfrac{_3C_2\times_4C_1}{_7C_3}=\dfrac{12}{35}$

$P(X=3)=\dfrac{_3C_3\times_4C_0}{_7C_3}=\dfrac{1}{35}$

016 답 $1, \dfrac{1}{8}$

017 답 $\dfrac{1}{2}$

$P(X=1 \text{ 또는 } X=2)=P(X=1)+P(X=2)$

$=a+\dfrac{3}{8}=\dfrac{1}{8}+\dfrac{3}{8}=\dfrac{1}{2}$

018 답 $\dfrac{5}{8}$

$P(2\le X\le 3)=P(X=2)+P(X=3)$

$=\dfrac{3}{8}+2a=\dfrac{3}{8}+2\times\dfrac{1}{8}=\dfrac{5}{8}$

019 답 $\dfrac{3}{4}$

$P(X\le 3)=P(X=1)+P(X=2)+P(X=3)$

$=a+\dfrac{3}{8}+2a=\dfrac{1}{8}+\dfrac{3}{8}+2\times\dfrac{1}{8}=\dfrac{3}{4}$

다른 풀이

$P(X\le 3)=1-P(X>3)=1-P(X=4)$

$=1-\dfrac{1}{4}=\dfrac{3}{4}$

020 답 $\dfrac{7}{8}$

$P(X\ge 2)=P(X=2)+P(X=3)+P(X=4)$

$=\dfrac{3}{8}+2a+\dfrac{1}{4}=\dfrac{3}{8}+2\times\dfrac{1}{8}+\dfrac{1}{4}=\dfrac{7}{8}$

다른 풀이

$P(X\ge 2)=1-P(X<2)=1-P(X=1)$

$=1-a=1-\dfrac{1}{8}=\dfrac{7}{8}$

021 답 $\dfrac{1}{4}$

확률의 총합은 1이므로

$\dfrac{1}{3}+\dfrac{1}{4}+a+b+\dfrac{1}{6}=1$ $\quad \therefore a+b=\dfrac{1}{4}$

022 답 $\dfrac{1}{2}$

$P(X=0 \text{ 또는 } X=4)=P(X=0)+P(X=4)$

$=\dfrac{1}{3}+\dfrac{1}{6}=\dfrac{1}{2}$

023 답 $\dfrac{1}{2}$

$P(1\le X\le 3)=P(X=1)+P(X=2)+P(X=3)$

$=\dfrac{1}{4}+a+b=\dfrac{1}{4}+\dfrac{1}{4}=\dfrac{1}{2}$

다른 풀이

$P(1\le X\le 3)=1-\{P(X<1)+P(X>3)\}$

$=1-P(X=0)-P(X=4)$

$=1-\dfrac{1}{3}-\dfrac{1}{6}=\dfrac{1}{2}$

024 답 $\dfrac{7}{12}$

$P(X\le 1)=P(X=0)+P(X=1)$

$=\dfrac{1}{3}+\dfrac{1}{4}=\dfrac{7}{12}$

025 답 $\dfrac{5}{12}$

$P(X\ge 2)=P(X=2)+P(X=3)+P(X=4)$

$=a+b+\dfrac{1}{6}=\dfrac{1}{4}+\dfrac{1}{6}=\dfrac{5}{12}$

다른 풀이

$P(X\ge 2)=1-P(X<2)$

$=1-P(X=0)-P(X=1)$

$=1-\dfrac{1}{3}-\dfrac{1}{4}=\dfrac{5}{12}$

026 답 $2, 3, 2k, 3k, \dfrac{1}{10}$

027 답 $\dfrac{1}{9}$

확률의 총합은 1이므로

$P(X=1)+P(X=2)+P(X=3)=1$

$2k+3k+4k=1, 9k=1$

$\therefore k=\dfrac{1}{9}$

028 답 $\dfrac{1}{14}$

확률의 총합은 1이므로

$P(X=1)+P(X=2)+P(X=3)=1$

$k+4k+9k=1, 14k=1$

$\therefore k=\dfrac{1}{14}$

029 답 $\frac{6}{5}$

확률의 총합은 1이므로

$P(X=1)+P(X=2)+P(X=3)+P(X=4)+P(X=5)=1$

$\frac{k}{1\times2}+\frac{k}{2\times3}+\frac{k}{3\times4}+\frac{k}{4\times5}+\frac{k}{5\times6}=1$

$k\left\{\left(1-\frac{1}{2}\right)+\left(\frac{1}{2}-\frac{1}{3}\right)+\left(\frac{1}{3}-\frac{1}{4}\right)+\left(\frac{1}{4}-\frac{1}{5}\right)+\left(\frac{1}{5}-\frac{1}{6}\right)\right\}=1$

$k\left(1-\frac{1}{6}\right)=1$, $\frac{5}{6}k=1$

$\therefore k=\frac{6}{5}$

030 답 3, 1, $\frac{3}{7}$, 4, 0, $\frac{1}{14}$, $\frac{1}{2}$

031 답 $\frac{3}{7}$

$P(2<X<4)=P(X=3)=\frac{3}{7}$

032 답 $\frac{1}{3}$

확률변수 X가 가지는 값은 0, 1, 2, 3이고

$P(X=0)=\frac{{}_6C_0\times{}_4C_3}{{}_{10}C_3}=\frac{1}{30}$

$P(X=1)=\frac{{}_6C_1\times{}_4C_2}{{}_{10}C_3}=\frac{3}{10}$

$\therefore P(X\le1)=P(X=0)+P(X=1)=\frac{1}{30}+\frac{3}{10}=\frac{1}{3}$

033 답 $\frac{3}{10}$

$P(1\le X<2)=P(X=1)=\frac{3}{10}$

034 답 3, 3, 2, $\frac{3}{10}$, 3, $\frac{1}{5}$, 3, 3, $\frac{1}{2}$

035 답 $\frac{3}{5}$

$X^2-6X+8\le0$에서

$(X-2)(X-4)\le0$ $\therefore 2\le X\le4$

이때 두 수의 차가 4인 경우는 (1, 5)의 1가지이므로

$P(X=4)=\frac{1}{10}$

$\therefore P(X^2-6X+8\le0)=P(2\le X\le4)$

$=P(X=2)+P(X=3)+P(X=4)$

$=\frac{3}{10}+\frac{1}{5}+\frac{1}{10}=\frac{3}{5}$

036 답 $\frac{1}{4}$

$X^2-11X+30=0$에서

$(X-5)(X-6)=0$ $\therefore X=5$ 또는 $X=6$

두 주사위에서 나온 눈의 수를 각각 a, b라고 하면 순서쌍 (a, b)는

(i) 두 수의 합이 5인 경우

(1, 4), (2, 3), (3, 2), (4, 1) ➡ 4가지

(ii) 두 수의 합이 6인 경우

(1, 5), (2, 4), (3, 3), (4, 2), (5, 1) ➡ 5가지

$\therefore P(X=5)=\frac{4}{36}=\frac{1}{9}$, $P(X=6)=\frac{5}{36}$

$\therefore P(X^2-11X+30=0)=P(X=5$ 또는 $X=6)$

$=P(X=5)+P(X=6)$

$=\frac{1}{9}+\frac{5}{36}=\frac{1}{4}$

037 답 $\frac{7}{36}$

$X^2-9X+18<0$에서

$(X-3)(X-6)<0$ $\therefore 3<X<6$

이때 두 수의 합이 4인 경우는 (1, 3), (2, 2), (3, 1)의 3가지이므로

$P(X=4)=\frac{3}{36}=\frac{1}{12}$

$\therefore P(X^2-9X+18<0)=P(3<X<6)$

$=P(X=4)+P(X=5)$

$=\frac{1}{12}+\frac{1}{9}=\frac{7}{36}$

038 답 $\frac{1}{4}$, $\frac{1}{2}$, 2

039 답 X^2, $\frac{1}{4}$, $\frac{1}{2}$, 2, $\frac{1}{2}$

040 답 $\frac{\sqrt{2}}{2}$

041 답 $\frac{4}{3}$

$E(X)=0\times\frac{1}{6}+1\times\frac{1}{3}+2\times\frac{1}{2}=\frac{4}{3}$

042 답 $\frac{5}{9}$

$E(X^2)=0^2\times\frac{1}{6}+1^2\times\frac{1}{3}+2^2\times\frac{1}{2}=\frac{7}{3}$

$\therefore V(X)=E(X^2)-\{E(X)\}^2=\frac{7}{3}-\left(\frac{4}{3}\right)^2=\frac{5}{9}$

043 답 $\frac{\sqrt{5}}{3}$

$\sigma(X)=\sqrt{V(X)}=\sqrt{\frac{5}{9}}=\frac{\sqrt{5}}{3}$

044 답 $\frac{5}{4}$

$E(X)=0\times\frac{3}{8}+1\times\frac{1}{8}+2\times\frac{3}{8}+3\times\frac{1}{8}=\frac{5}{4}$

045 답 $\frac{19}{16}$

$E(X^2)=0^2\times\frac{3}{8}+1^2\times\frac{1}{8}+2^2\times\frac{3}{8}+3^2\times\frac{1}{8}=\frac{11}{4}$

$\therefore V(X)=E(X^2)-\{E(X)\}^2=\frac{11}{4}-\left(\frac{5}{4}\right)^2=\frac{19}{16}$

046 답 $\frac{\sqrt{19}}{4}$

$\sigma(X)=\sqrt{V(X)}=\sqrt{\frac{19}{16}}=\frac{\sqrt{19}}{4}$

047 답 **3**

확률의 총합은 1이므로

$\frac{1}{9}+a+\frac{2}{9}+\frac{4}{9}=1$ $\quad\therefore a=\frac{2}{9}$

$\therefore \mathrm{E}(X)=1\times\frac{1}{9}+2\times\frac{2}{9}+3\times\frac{2}{9}+4\times\frac{4}{9}=3$

048 답 $\dfrac{10}{9}$

$\mathrm{E}(X^2)=1^2\times\frac{1}{9}+2^2\times\frac{2}{9}+3^2\times\frac{2}{9}+4^2\times\frac{4}{9}=\frac{91}{9}$

$\therefore \mathrm{V}(X)=\mathrm{E}(X^2)-\{\mathrm{E}(X)\}^2$

$\qquad =\frac{91}{9}-3^2=\frac{10}{9}$

049 답 $\dfrac{\sqrt{10}}{3}$

$\sigma(X)=\sqrt{\mathrm{V}(X)}=\sqrt{\frac{10}{9}}=\frac{\sqrt{10}}{3}$

050 답 $\dfrac{5}{2}$

확률의 총합은 1이므로

$a+\frac{1}{5}+\frac{1}{5}+\frac{3}{10}=1$ $\quad\therefore a=\frac{3}{10}$

$\therefore \mathrm{E}(X)=1\times\frac{3}{10}+2\times\frac{1}{5}+3\times\frac{1}{5}+4\times\frac{3}{10}=\frac{5}{2}$

051 답 $\dfrac{29}{20}$

$\mathrm{E}(X^2)=1^2\times\frac{3}{10}+2^2\times\frac{1}{5}+3^2\times\frac{1}{5}+4^2\times\frac{3}{10}=\frac{77}{10}$

$\therefore \mathrm{V}(X)=\mathrm{E}(X^2)-\{\mathrm{E}(X)\}^2$

$\qquad =\frac{77}{10}-\left(\frac{5}{2}\right)^2=\frac{29}{20}$

052 답 $\dfrac{\sqrt{145}}{10}$

$\sigma(X)=\sqrt{\mathrm{V}(X)}=\sqrt{\frac{29}{20}}=\frac{\sqrt{145}}{10}$

053 답 풀이 참고

확률변수 X가 가지는 값은 0, 1, 2이고 주사위 1개를 던질 때 홀수의 눈이 나올 확률은 $\frac{1}{2}$이므로 X가 각 값을 가질 확률은

$\mathrm{P}(X=0)={}_2\mathrm{C}_0\left(\frac{1}{2}\right)^0\left(\frac{1}{2}\right)^2=\frac{1}{4}$

$\mathrm{P}(X=1)={}_2\mathrm{C}_1\left(\frac{1}{2}\right)^1\left(\frac{1}{2}\right)^1=\frac{1}{2}$

$\mathrm{P}(X=2)={}_2\mathrm{C}_2\left(\frac{1}{2}\right)^2\left(\frac{1}{2}\right)^0=\frac{1}{4}$

따라서 X의 확률분포를 표로 나타내면 다음과 같다.

X	0	1	2	합계
$\mathrm{P}(X=x)$	$\frac{1}{4}$	$\frac{1}{2}$	$\frac{1}{4}$	1

054 답 **1**

$\mathrm{E}(X)=0\times\frac{1}{4}+1\times\frac{1}{2}+2\times\frac{1}{4}=1$

055 답 $\dfrac{1}{2}$

$\mathrm{E}(X^2)=0^2\times\frac{1}{4}+1^2\times\frac{1}{2}+2^2\times\frac{1}{4}=\frac{3}{2}$

$\therefore \mathrm{V}(X)=\mathrm{E}(X^2)-\{\mathrm{E}(X)\}^2$

$\qquad =\frac{3}{2}-1^2=\frac{1}{2}$

056 답 $\dfrac{\sqrt{2}}{2}$

$\sigma(X)=\sqrt{\mathrm{V}(X)}=\sqrt{\frac{1}{2}}=\frac{\sqrt{2}}{2}$

057 답 풀이 참고

확률변수 X가 가지는 값은 0, 1, 2이고 각 값을 가질 확률은

$\mathrm{P}(X=0)=\frac{{}_3\mathrm{C}_0\times{}_6\mathrm{C}_2}{{}_9\mathrm{C}_2}=\frac{5}{12}$

$\mathrm{P}(X=1)=\frac{{}_3\mathrm{C}_1\times{}_6\mathrm{C}_1}{{}_9\mathrm{C}_2}=\frac{1}{2}$

$\mathrm{P}(X=2)=\frac{{}_3\mathrm{C}_2\times{}_6\mathrm{C}_0}{{}_9\mathrm{C}_2}=\frac{1}{12}$

따라서 X의 확률분포를 표로 나타내면 다음과 같다.

X	0	1	2	합계
$\mathrm{P}(X=x)$	$\frac{5}{12}$	$\frac{1}{2}$	$\frac{1}{12}$	1

058 답 $\dfrac{2}{3}$

$\mathrm{E}(X)=0\times\frac{5}{12}+1\times\frac{1}{2}+2\times\frac{1}{12}=\frac{2}{3}$

059 답 $\dfrac{7}{18}$

$\mathrm{E}(X^2)=0^2\times\frac{5}{12}+1^2\times\frac{1}{2}+2^2\times\frac{1}{12}=\frac{5}{6}$

$\therefore \mathrm{V}(X)=\mathrm{E}(X^2)-\{\mathrm{E}(X)\}^2$

$\qquad =\frac{5}{6}-\left(\frac{2}{3}\right)^2=\frac{7}{18}$

060 답 $\dfrac{\sqrt{14}}{6}$

$\sigma(X)=\sqrt{\mathrm{V}(X)}=\sqrt{\frac{7}{18}}=\frac{\sqrt{14}}{6}$

061 답 풀이 참고

확률변수 X가 가지는 값은 1, 2, 3이고 1에서 5까지의 자연수 중 소수는 2, 3, 5의 3개이므로 X가 각 값을 가질 확률은

$\mathrm{P}(X=1)=\frac{{}_3\mathrm{C}_1\times{}_2\mathrm{C}_2}{{}_5\mathrm{C}_3}=\frac{3}{10}$

$\mathrm{P}(X=2)=\frac{{}_3\mathrm{C}_2\times{}_2\mathrm{C}_1}{{}_5\mathrm{C}_3}=\frac{3}{5}$

$\mathrm{P}(X=3)=\frac{{}_3\mathrm{C}_3\times{}_2\mathrm{C}_0}{{}_5\mathrm{C}_3}=\frac{1}{10}$

따라서 X의 확률분포를 표로 나타내면 다음과 같다.

X	1	2	3	합계
$\mathrm{P}(X=x)$	$\frac{3}{10}$	$\frac{3}{5}$	$\frac{1}{10}$	1

062 답 $\dfrac{9}{5}$

$E(X)=1\times\dfrac{3}{10}+2\times\dfrac{3}{5}+3\times\dfrac{1}{10}=\dfrac{9}{5}$

063 답 $\dfrac{9}{25}$

$E(X^2)=1^2\times\dfrac{3}{10}+2^2\times\dfrac{3}{5}+3^2\times\dfrac{1}{10}=\dfrac{18}{5}$

$\therefore V(X)=E(X^2)-\{E(X)\}^2$

$\qquad=\dfrac{18}{5}-\left(\dfrac{9}{5}\right)^2=\dfrac{9}{25}$

064 답 $\dfrac{3}{5}$

$\sigma(X)=\sqrt{V(X)}=\sqrt{\dfrac{9}{25}}=\dfrac{3}{5}$

065 답 평균: 8, 분산: 36, 표준편차: 6

$E(Y)=E(2X)=2E(X)=2\times4=8$

$V(Y)=V(2X)=2^2V(X)=4\times9=36$

$\sigma(Y)=\sigma(2X)=|2|\sigma(X)=2\sqrt{V(X)}=2\times\sqrt{9}=6$

066 답 평균: -16, 분산: 144, 표준편차: 12

$E(Y)=E(-4X)=-4E(X)=-4\times4=-16$

$V(Y)=V(-4X)=(-4)^2V(X)=16\times9=144$

$\sigma(Y)=\sigma(-4X)=|-4|\sigma(X)=4\sqrt{V(X)}=4\times\sqrt{9}=12$

067 답 평균: 7, 분산: 81, 표준편차: 9

$E(Y)=E(3X-5)=3E(X)-5=3\times4-5=7$

$V(Y)=V(3X-5)=3^2V(X)=9\times9=81$

$\sigma(Y)=\sigma(3X-5)=|3|\sigma(X)=3\sqrt{V(X)}=3\times\sqrt{9}=9$

068 답 평균: -2, 분산: 9, 표준편차: 3

$E(Y)=E(-X+2)=-E(X)+2=-4+2=-2$

$V(Y)=V(-X+2)=(-1)^2V(X)=1\times9=9$

$\sigma(Y)=\sigma(-X+2)=|-1|\sigma(X)=\sqrt{V(X)}=\sqrt{9}=3$

069 답 평균: 50, 분산: 100, 표준편차: 10

$E(Y)=E(5X)=5E(X)=5\times10=50$

$V(Y)=V(5X)=5^2V(X)=25\times4=100$

$\sigma(Y)=\sigma(5X)=|5|\sigma(X)=5\sqrt{V(X)}=5\times\sqrt{4}=10$

070 답 평균: $-\dfrac{10}{3}$, 분산: $\dfrac{4}{9}$, 표준편차: $\dfrac{2}{3}$

$E(Y)=E\left(-\dfrac{1}{3}X\right)=-\dfrac{1}{3}E(X)=-\dfrac{1}{3}\times10=-\dfrac{10}{3}$

$V(Y)=V\left(-\dfrac{1}{3}X\right)=\left(-\dfrac{1}{3}\right)^2V(X)=\dfrac{1}{9}\times4=\dfrac{4}{9}$

$\sigma(Y)=\sigma\left(-\dfrac{1}{3}X\right)=\left|-\dfrac{1}{3}\right|\sigma(X)=\dfrac{1}{3}\sqrt{V(X)}$

$\qquad=\dfrac{1}{3}\times\sqrt{4}=\dfrac{2}{3}$

071 답 평균: 27, 분산: 16, 표준편차: 4

$E(Y)=E(2X+7)=2E(X)+7=2\times10+7=27$

$V(Y)=V(2X+7)=2^2V(X)=4\times4=16$

$\sigma(Y)=\sigma(2X+7)=|2|\sigma(X)=2\sqrt{V(X)}=2\times\sqrt{4}=4$

072 답 평균: -6, 분산: 1, 표준편차: 1

$E(Y)=E\left(-\dfrac{1}{2}X-1\right)=-\dfrac{1}{2}E(X)-1=-\dfrac{1}{2}\times10-1=-6$

$V(Y)=V\left(-\dfrac{1}{2}X-1\right)=\left(-\dfrac{1}{2}\right)^2V(X)=\dfrac{1}{4}\times4=1$

$\sigma(Y)=\sigma\left(-\dfrac{1}{2}X-1\right)=\left|-\dfrac{1}{2}\right|\sigma(X)=\dfrac{1}{2}\sqrt{V(X)}$

$\qquad=\dfrac{1}{2}\times\sqrt{4}=1$

073 답 평균: $-\dfrac{3}{2}$, 분산: $\dfrac{3}{4}$, 표준편차: $\dfrac{\sqrt{3}}{2}$

확률변수 X에 대하여

$E(X)=0\times\dfrac{1}{8}+1\times\dfrac{3}{8}+2\times\dfrac{3}{8}+3\times\dfrac{1}{8}=\dfrac{3}{2}$,

$E(X^2)=0^2\times\dfrac{1}{8}+1^2\times\dfrac{3}{8}+2^2\times\dfrac{3}{8}+3^2\times\dfrac{1}{8}=3$이므로

$V(X)=E(X^2)-\{E(X)\}^2=3-\left(\dfrac{3}{2}\right)^2=\dfrac{3}{4}$

$\sigma(X)=\sqrt{V(X)}=\sqrt{\dfrac{3}{4}}=\dfrac{\sqrt{3}}{2}$

따라서 확률변수 Y에 대하여

$E(Y)=E(X-3)=E(X)-3=\dfrac{3}{2}-3=-\dfrac{3}{2}$

$V(Y)=V(X-3)=1^2V(X)=1\times\dfrac{3}{4}=\dfrac{3}{4}$

$\sigma(Y)=\sigma(X-3)=|1|\sigma(X)=1\times\dfrac{\sqrt{3}}{2}=\dfrac{\sqrt{3}}{2}$

074 답 평균: $-\dfrac{1}{2}$, 분산: $\dfrac{3}{4}$, 표준편차: $\dfrac{\sqrt{3}}{2}$

$E(Y)=E(-X+1)=-E(X)+1=-\dfrac{3}{2}+1=-\dfrac{1}{2}$

$V(Y)=V(-X+1)=(-1)^2V(X)=1\times\dfrac{3}{4}=\dfrac{3}{4}$

$\sigma(Y)=\sigma(-X+1)=|-1|\sigma(X)=1\times\dfrac{\sqrt{3}}{2}=\dfrac{\sqrt{3}}{2}$

075 답 평균: 4, 분산: 24, 표준편차: $2\sqrt{6}$

확률의 총합은 1이므로

$a+a+3a+5a=1,\ 10a=1\qquad\therefore a=\dfrac{1}{10}$

확률변수 X에 대하여

$E(X)=0\times\dfrac{1}{10}+1\times\dfrac{1}{10}+2\times\dfrac{3}{10}+3\times\dfrac{1}{2}=\dfrac{11}{5}$,

$E(X^2)=0^2\times\dfrac{1}{10}+1^2\times\dfrac{1}{10}+2^2\times\dfrac{3}{10}+3^2\times\dfrac{1}{2}=\dfrac{29}{5}$이므로

$V(X)=E(X^2)-\{E(X)\}^2=\dfrac{29}{5}-\left(\dfrac{11}{5}\right)^2=\dfrac{24}{25}$

$\sigma(X)=\sqrt{V(X)}=\sqrt{\dfrac{24}{25}}=\dfrac{2\sqrt{6}}{5}$

따라서 확률변수 Y에 대하여

$$E(Y)=E(5X-7)=5E(X)-7=5\times\frac{11}{5}-7=4$$

$$V(Y)=V(5X-7)=5^2V(X)=25\times\frac{24}{25}=24$$

$$\sigma(Y)=\sigma(5X-7)=|5|\sigma(X)=5\times\frac{2\sqrt{6}}{5}=2\sqrt{6}$$

076 답 평균: $\dfrac{23}{5}$, 분산: $\dfrac{96}{25}$, 표준편차: $\dfrac{4\sqrt{6}}{5}$

$$\begin{aligned}E(Y)&=E(-2X+9)=-2E(X)+9\\&=-2\times\frac{11}{5}+9=\frac{23}{5}\end{aligned}$$

$$\begin{aligned}V(Y)&=V(-2X+9)=(-2)^2V(X)\\&=4\times\frac{24}{25}=\frac{96}{25}\end{aligned}$$

$$\begin{aligned}\sigma(Y)&=\sigma(-2X+9)=|-2|\sigma(X)\\&=2\times\frac{2\sqrt{6}}{5}=\frac{4\sqrt{6}}{5}\end{aligned}$$

077 답 평균: 17, 분산: $\dfrac{140}{3}$, 표준편차: $\dfrac{2\sqrt{105}}{3}$

확률변수 X가 가지는 값은 1, 2, 3, 4, 5, 6이고 각 값을 가질 확률은 $\frac{1}{6}$이므로 X의 확률분포를 표로 나타내면 다음과 같다.

X	1	2	3	4	5	6	합계
$P(X=x)$	$\frac{1}{6}$	$\frac{1}{6}$	$\frac{1}{6}$	$\frac{1}{6}$	$\frac{1}{6}$	$\frac{1}{6}$	1

확률변수 X에 대하여

$$E(X)=1\times\frac{1}{6}+2\times\frac{1}{6}+3\times\frac{1}{6}+4\times\frac{1}{6}+5\times\frac{1}{6}+6\times\frac{1}{6}=\frac{7}{2},$$

$$E(X^2)=1^2\times\frac{1}{6}+2^2\times\frac{1}{6}+3^2\times\frac{1}{6}+4^2\times\frac{1}{6}+5^2\times\frac{1}{6}+6^2\times\frac{1}{6}=\frac{91}{6}$$

이므로

$$V(X)=E(X^2)-\{E(X)\}^2=\frac{91}{6}-\left(\frac{7}{2}\right)^2=\frac{35}{12}$$

$$\sigma(X)=\sqrt{V(X)}=\sqrt{\frac{35}{12}}=\frac{\sqrt{105}}{6}$$

따라서 확률변수 Y에 대하여

$$E(Y)=E(4X+3)=4E(X)+3=4\times\frac{7}{2}+3=17$$

$$V(Y)=V(4X+3)=4^2V(X)=16\times\frac{35}{12}=\frac{140}{3}$$

$$\sigma(Y)=\sigma(4X+3)=|4|\sigma(X)=4\times\frac{\sqrt{105}}{6}=\frac{2\sqrt{105}}{3}$$

078 답 평균: 20, 분산: 105, 표준편차: $\sqrt{105}$

$$\begin{aligned}E(Y)&=E(6X-1)=6E(X)-1\\&=6\times\frac{7}{2}-1=20\end{aligned}$$

$$\begin{aligned}V(Y)&=V(6X-1)=6^2V(X)\\&=36\times\frac{35}{12}=105\end{aligned}$$

$$\begin{aligned}\sigma(Y)&=\sigma(6X-1)=|6|\sigma(X)\\&=6\times\frac{\sqrt{105}}{6}=\sqrt{105}\end{aligned}$$

079 답 평균: $\dfrac{18}{5}$, 분산: $\dfrac{81}{25}$, 표준편차: $\dfrac{9}{5}$

확률변수 X가 가지는 값은 0, 1, 2이고 각 값을 가질 확률은

$$P(X=0)=\frac{{}_3C_0\times{}_2C_2}{{}_5C_2}=\frac{1}{10}$$

$$P(X=1)=\frac{{}_3C_1\times{}_2C_1}{{}_5C_2}=\frac{3}{5}$$

$$P(X=2)=\frac{{}_3C_2\times{}_2C_0}{{}_5C_2}=\frac{3}{10}$$

따라서 X의 확률분포를 표로 나타내면 다음과 같다.

X	0	1	2	합계
$P(X=x)$	$\frac{1}{10}$	$\frac{3}{5}$	$\frac{3}{10}$	1

확률변수 X에 대하여

$$E(X)=0\times\frac{1}{10}+1\times\frac{3}{5}+2\times\frac{3}{10}=\frac{6}{5},$$

$$E(X^2)=0^2\times\frac{1}{10}+1^2\times\frac{3}{5}+2^2\times\frac{3}{10}=\frac{9}{5}\text{이므로}$$

$$V(X)=E(X^2)-\{E(X)\}^2=\frac{9}{5}-\left(\frac{6}{5}\right)^2=\frac{9}{25}$$

$$\sigma(X)=\sqrt{V(X)}=\sqrt{\frac{9}{25}}=\frac{3}{5}$$

따라서 확률변수 Y에 대하여

$$E(Y)=E(3X)=3E(X)=3\times\frac{6}{5}=\frac{18}{5}$$

$$V(Y)=V(3X)=3^2V(X)=9\times\frac{9}{25}=\frac{81}{25}$$

$$\sigma(Y)=\sigma(3X)=|3|\sigma(X)=3\times\frac{3}{5}=\frac{9}{5}$$

080 답 평균: -4, 분산: 9, 표준편차: 3

$$E(Y)=E(-5X+2)=-5E(X)+2=-5\times\frac{6}{5}+2=-4$$

$$V(Y)=V(-5X+2)=(-5)^2V(X)=25\times\frac{9}{25}=9$$

$$\sigma(Y)=\sigma(-5X+2)=|-5|\sigma(X)=5\times\frac{3}{5}=3$$

081 답 $B\left(5,\dfrac{1}{2}\right)$

한 번의 시행에서 짝수의 눈이 나올 확률은 $\frac{1}{2}$이므로 확률변수 X는 이항분포 $B\left(5,\frac{1}{2}\right)$을 따른다.

082 답 $B\left(10,\dfrac{1}{2}\right)$

한 번의 시행에서 앞면이 나올 확률은 $\frac{1}{2}$이므로 확률변수 X는 이항분포 $B\left(10,\frac{1}{2}\right)$을 따른다.

083 답 이항분포를 따르지 않는다.

첫 번째 공을 꺼내는 시행과 두 번째 공을 꺼내는 시행은 서로 독립이 아니므로 확률변수 X는 이항분포를 따르지 않는다.

084 답 $B\left(5, \dfrac{1}{3}\right)$

한 번의 시행에서 명중할 확률은 $\dfrac{1}{3}$이므로 확률변수 X는 이항분포 $B\left(5, \dfrac{1}{3}\right)$을 따른다.

085 답 $B(8, 0.3)$

한 번의 시행에서 안타를 칠 확률은 0.3이므로 확률변수 X는 이항분포 $B(8, 0.3)$을 따른다.

086 답 이항분포를 따르지 않는다.

제비 2개를 꺼내는 시행은 서로 독립이 아니므로 확률변수 X는 이항분포를 따르지 않는다.

087 답 $\dfrac{1}{2}$, 6, $\dfrac{1}{2}$, $\dfrac{1}{2}$, 6, $\dfrac{1}{2}$, $\dfrac{1}{2}$, $\dfrac{5}{16}$

088 답 $\dfrac{3}{32}$

$P(X=5) = {}_6C_5 \left(\dfrac{1}{2}\right)^5 \left(\dfrac{1}{2}\right)^{6-5} = \dfrac{3}{32}$

089 답 $\dfrac{135}{512}$

한 번의 시행에서 동전 2개 모두 뒷면이 나올 확률은 $\dfrac{1}{4}$이므로 확률변수 X는 이항분포 $B\left(5, \dfrac{1}{4}\right)$을 따른다.
따라서 확률변수 X의 확률질량함수는
$P(X=x) = {}_5C_x \left(\dfrac{1}{4}\right)^x \left(\dfrac{3}{4}\right)^{5-x}$ $(x=0, 1, 2, 3, 4, 5)$
$\therefore P(X=2) = {}_5C_2 \left(\dfrac{1}{4}\right)^2 \left(\dfrac{3}{4}\right)^{5-2} = \dfrac{135}{512}$

090 답 $\dfrac{15}{1024}$

$P(X=4) = {}_5C_4 \left(\dfrac{1}{4}\right)^4 \left(\dfrac{3}{4}\right)^{5-4} = \dfrac{15}{1024}$

091 답 평균: 3, 분산: 2, 표준편차: $\sqrt{2}$

$E(X) = 9 \times \dfrac{1}{3} = 3$

$V(X) = 9 \times \dfrac{1}{3} \times \dfrac{2}{3} = 2$

$\sigma(X) = \sqrt{9 \times \dfrac{1}{3} \times \dfrac{2}{3}} = \sqrt{2}$

092 답 평균: 8, 분산: $\dfrac{24}{5}$, 표준편차: $\dfrac{2\sqrt{30}}{5}$

$E(X) = 20 \times \dfrac{2}{5} = 8$

$V(X) = 20 \times \dfrac{2}{5} \times \dfrac{3}{5} = \dfrac{24}{5}$

$\sigma(X) = \sqrt{20 \times \dfrac{2}{5} \times \dfrac{3}{5}} = \dfrac{2\sqrt{30}}{5}$

093 답 평균: 16, 분산: 12, 표준편차: $2\sqrt{3}$

$E(X) = 64 \times \dfrac{1}{4} = 16$

$V(X) = 64 \times \dfrac{1}{4} \times \dfrac{3}{4} = 12$

$\sigma(X) = \sqrt{64 \times \dfrac{1}{4} \times \dfrac{3}{4}} = 2\sqrt{3}$

094 답 평균: 20, 분산: 16, 표준편차: 4

$E(X) = 100 \times 0.2 = 20$

$V(X) = 100 \times 0.2 \times 0.8 = 16$

$\sigma(X) = \sqrt{100 \times 0.2 \times 0.8} = 4$

095 답 평균: 75, 분산: 30, 표준편차: $\sqrt{30}$

$E(X) = 125 \times 0.6 = 75$

$V(X) = 125 \times 0.6 \times 0.4 = 30$

$\sigma(X) = \sqrt{125 \times 0.6 \times 0.4} = \sqrt{30}$

096 답 $\dfrac{1}{3}$, $\dfrac{1}{3}$, $\dfrac{1}{3}$, 30, $\dfrac{2}{3}$, 20, 920

097 답 10090

한 번의 시행에서 발아할 확률은 $\dfrac{1}{10}$이므로 확률변수 X는 이항분포 $B\left(1000, \dfrac{1}{10}\right)$을 따른다.

$\therefore E(X) = 1000 \times \dfrac{1}{10} = 100$,

$\quad V(X) = 1000 \times \dfrac{1}{10} \times \dfrac{9}{10} = 90$
따라서 $V(X) = E(X^2) - \{E(X)\}^2$에서
$E(X^2) = V(X) + \{E(X)\}^2 = 90 + 100^2 = 10090$

098 답 3648

한 번의 시행에서 불량품일 확률은 $\dfrac{1}{5}$이므로 확률변수 X는 이항분포 $B\left(300, \dfrac{1}{5}\right)$을 따른다.

$\therefore E(X) = 300 \times \dfrac{1}{5} = 60$,

$\quad V(X) = 300 \times \dfrac{1}{5} \times \dfrac{4}{5} = 48$
따라서 $V(X) = E(X^2) - \{E(X)\}^2$에서
$E(X^2) = V(X) + \{E(X)\}^2 = 48 + 60^2 = 3648$

099 답 $\dfrac{1}{2}$, $\dfrac{1}{2}$, $\dfrac{1}{2}$, 18, 25

100 답 1050

한 번의 시행에서 명중할 확률은 $\dfrac{7}{10}$이므로 확률변수 X는 이항분포 $B\left(200, \dfrac{7}{10}\right)$을 따른다.

$V(X) = 200 \times \dfrac{7}{10} \times \dfrac{3}{10} = 42$이므로
$V(5X+4) = 5^2 V(X) = 25 \times 42 = 1050$

101 답 12

한 번의 시행에서 불량인 펜이 나올 확률은 $\dfrac{2}{10}=\dfrac{1}{5}$이므로 확률변수 X는 이항분포 $\text{B}\left(100, \dfrac{1}{5}\right)$을 따른다.

따라서 $\sigma(X)=\sqrt{100\times\dfrac{1}{5}\times\dfrac{4}{5}}=4$이므로

$\sigma(-3X+1)=|-3|\sigma(X)=3\times4=12$

연산 유형 최종 점검하기

1 15	**2** ⑤	**3** ②	**4** ③	**5** $\dfrac{3}{8}$	**6** 1
7 ④	**8** ③	**9** $\dfrac{2\sqrt{21}}{15}$	**10** ⑤	**11** ②	**12** 100
13 -1	**14** ②	**15** $\dfrac{11}{243}$	**16** 96	**17** ⑤	**18** ①

1 확률변수 X가 가지는 값은 0, 1, 2, 3, 4, 5이므로 그 합은
$0+1+2+3+4+5=15$

2 확률의 총합은 1이므로
$a+\dfrac{1}{6}+b+\dfrac{1}{3}=1$ $\therefore a+b=\dfrac{1}{2}$

3 확률의 총합은 1이므로
$\text{P}(X=1)+\text{P}(X=2)+\text{P}(X=3)=1$
$3k+4k+5k=1$, $12k=1$
$\therefore k=\dfrac{1}{12}$

4 확률변수 X가 가지는 값은 0, 1, 2, 3이고
$\text{P}(X=0)=\dfrac{{}_5\text{C}_0\times{}_3\text{C}_3}{{}_8\text{C}_3}=\dfrac{1}{56}$
$\text{P}(X=1)=\dfrac{{}_5\text{C}_1\times{}_3\text{C}_2}{{}_8\text{C}_3}=\dfrac{15}{56}$
$\text{P}(X=2)=\dfrac{{}_5\text{C}_2\times{}_3\text{C}_1}{{}_8\text{C}_3}=\dfrac{15}{28}$
$\therefore \text{P}(X\leq2)=\text{P}(X=0)+\text{P}(X=1)+\text{P}(X=2)$
$=\dfrac{1}{56}+\dfrac{15}{56}+\dfrac{15}{28}=\dfrac{23}{28}$

다른 풀이
$\text{P}(X=3)=\dfrac{{}_5\text{C}_3\times{}_3\text{C}_0}{{}_8\text{C}_3}=\dfrac{5}{28}$이므로
$\text{P}(X\leq2)=1-\text{P}(X>2)=1-\text{P}(X=3)$
$=1-\dfrac{5}{28}=\dfrac{23}{28}$

5 $X^2-6X+8\leq0$에서
$(X-2)(X-4)\leq0$ $\therefore 2\leq X\leq4$

확률변수 X가 가지는 값은 0, 1, 2, 3이고 바닥에 놓인 면에 적힌 두 수를 a, b라고 하면 순서쌍 (a, b)는
(i) 두 수의 차가 2인 경우
  $(1, 3)$, $(2, 4)$, $(3, 1)$, $(4, 2)$ ➡ 4가지
(ii) 두 수의 차가 3인 경우
  $(1, 4)$, $(4, 1)$ ➡ 2가지
$\therefore \text{P}(X=2)=\dfrac{4}{16}=\dfrac{1}{4}$, $\text{P}(X=3)=\dfrac{2}{16}=\dfrac{1}{8}$
$\therefore \text{P}(X^2-6X+8\leq0)=\text{P}(2\leq X\leq4)$
$=\text{P}(X=2)+\text{P}(X=3)$
$=\dfrac{1}{4}+\dfrac{1}{8}=\dfrac{3}{8}$

6 확률의 총합은 1이므로
$\dfrac{1}{10}+\dfrac{1}{5}+\dfrac{3}{10}+a=1$ $\therefore a=\dfrac{2}{5}$
따라서 확률변수 X에 대하여
$\text{E}(X)=0\times\dfrac{1}{10}+1\times\dfrac{1}{5}+2\times\dfrac{3}{10}+3\times\dfrac{2}{5}=2,$
$\text{E}(X^2)=0^2\times\dfrac{1}{10}+1^2\times\dfrac{1}{5}+2^2\times\dfrac{3}{10}+3^2\times\dfrac{2}{5}=5$이므로
$\text{V}(X)=\text{E}(X^2)-\{\text{E}(X)\}^2=5-2^2=1$
$\therefore \sigma(X)=\sqrt{\text{V}(X)}=\sqrt{1}=1$

7 확률의 총합은 1이므로
$\text{P}(X=-2)+\text{P}(X=-1)+\text{P}(X=1)+\text{P}(X=2)=1$
$4k+k+k+4k=1$, $10k=1$ $\therefore k=\dfrac{1}{10}$
즉, 확률변수 X의 확률분포를 표로 나타내면 다음과 같다.

X	-2	-1	1	2	합계
$\text{P}(X=x)$	$\dfrac{2}{5}$	$\dfrac{1}{10}$	$\dfrac{1}{10}$	$\dfrac{2}{5}$	1

따라서 확률변수 X에 대하여
$\text{E}(X)=-2\times\dfrac{2}{5}+(-1)\times\dfrac{1}{10}+1\times\dfrac{1}{10}+2\times\dfrac{2}{5}=0,$
$\text{E}(X^2)=(-2)^2\times\dfrac{2}{5}+(-1)^2\times\dfrac{1}{10}+1^2\times\dfrac{1}{10}+2^2\times\dfrac{2}{5}=\dfrac{17}{5}$이므로
$\text{V}(X)=\text{E}(X^2)-\{\text{E}(X)\}^2=\dfrac{17}{5}-0^2=\dfrac{17}{5}$

8 확률변수 X가 가지는 값은 0, 1, 2이고 각 값을 가질 확률은
$\text{P}(X=0)=\dfrac{{}_2\text{C}_0\times{}_5\text{C}_2}{{}_7\text{C}_2}=\dfrac{10}{21}$
$\text{P}(X=1)=\dfrac{{}_2\text{C}_1\times{}_5\text{C}_1}{{}_7\text{C}_2}=\dfrac{10}{21}$
$\text{P}(X=2)=\dfrac{{}_2\text{C}_2\times{}_5\text{C}_0}{{}_7\text{C}_2}=\dfrac{1}{21}$
즉, 확률변수 X의 확률분포를 표로 나타내면 다음과 같다.

X	0	1	2	합계
$\text{P}(X=x)$	$\dfrac{10}{21}$	$\dfrac{10}{21}$	$\dfrac{1}{21}$	1

따라서 확률변수 X에 대하여
$\text{E}(X)=0\times\dfrac{10}{21}+1\times\dfrac{10}{21}+2\times\dfrac{1}{21}=\dfrac{4}{7}$

9 7의 약수는 1, 7의 2개이므로 확률변수 X가 가지는 값은 0, 1, 2이고 X가 각 값을 가질 확률은

$$P(X=0)=\frac{{}_2C_0 \times {}_8C_3}{{}_{10}C_3}=\frac{7}{15}, \quad P(X=1)=\frac{{}_2C_1 \times {}_8C_2}{{}_{10}C_3}=\frac{7}{15},$$

$$P(X=2)=\frac{{}_2C_2 \times {}_8C_1}{{}_{10}C_3}=\frac{1}{15}$$

즉, 확률변수 X의 확률분포를 표로 나타내면 다음과 같다.

X	0	1	2	합계
$P(X=x)$	$\frac{7}{15}$	$\frac{7}{15}$	$\frac{1}{15}$	1

따라서 확률변수 X에 대하여

$$E(X)=0 \times \frac{7}{15}+1 \times \frac{7}{15}+2 \times \frac{1}{15}=\frac{3}{5},$$

$$E(X^2)=0^2 \times \frac{7}{15}+1^2 \times \frac{7}{15}+2^2 \times \frac{1}{15}=\frac{11}{15}$$이므로

$$V(X)=\frac{11}{15}-\left(\frac{3}{5}\right)^2=\frac{28}{75}$$

$$\therefore \sigma(X)=\sqrt{V(X)}=\sqrt{\frac{28}{75}}=\frac{2\sqrt{21}}{15}$$

10 $E(Y)=E(-2X+1)=-2E(X)+1=-2 \times 8+1=-15$
$V(Y)=V(-2X+1)=(-2)^2V(X)=4 \times 16=64$
$$\therefore E(Y)+V(Y)=-15+64=49$$

11 $V(X)=E(X^2)-\{E(X)\}^2=10-3^2=1$이므로
$\sigma(X)=\sqrt{V(X)}=\sqrt{1}=1$
$$\therefore \sigma(7X+13)=|7|\sigma(X)=7 \times 1=7$$

12 확률의 총합은 1이므로

$4a+3a+2a+a=1, \ 10a=1 \qquad \therefore a=\frac{1}{10}$

따라서 확률변수 X에 대하여

$$E(X)=-3 \times \frac{2}{5}+(-1) \times \frac{3}{10}+1 \times \frac{1}{5}+3 \times \frac{1}{10}=-1,$$

$$E(X^2)=(-3)^2 \times \frac{2}{5}+(-1)^2 \times \frac{3}{10}+1^2 \times \frac{1}{5}+3^2 \times \frac{1}{10}=5$$이므로

$$V(X)=E(X^2)-\{E(X)\}^2=5-(-1)^2=4$$

$$\therefore V(5X-1)=5^2V(X)=25 \times 4=100$$

13 확률변수 X가 가지는 값은 0, 1, 2이고 각 값을 가질 확률은

$$P(X=0)=\frac{{}_2C_2 \times {}_2C_0}{{}_4C_2}=\frac{1}{6}, \quad P(X=1)=\frac{{}_2C_1 \times {}_2C_1}{{}_4C_2}=\frac{2}{3},$$

$$P(X=2)=\frac{{}_2C_0 \times {}_2C_2}{{}_4C_2}=\frac{1}{6}$$

즉, 확률변수 X의 확률분포를 표로 나타내면 다음과 같다.

X	0	1	2	합계
$P(X=x)$	$\frac{1}{6}$	$\frac{2}{3}$	$\frac{1}{6}$	1

따라서 확률변수 X에 대하여

$$E(X)=0 \times \frac{1}{6}+1 \times \frac{2}{3}+2 \times \frac{1}{6}=1$$

$$\therefore E(3X-4)=3E(X)-4=3 \times 1-4=-1$$

14 확률변수 X의 확률질량함수는

$$P(X=x)={}_{10}C_x \left(\frac{1}{2}\right)^x \left(\frac{1}{2}\right)^{10-x} \ (x=0, 1, 2, \cdots, 10)$$이므로

$$P(X=0)={}_{10}C_0 \left(\frac{1}{2}\right)^0 \left(\frac{1}{2}\right)^{10-0}=\frac{1}{1024}$$

$$P(X=1)={}_{10}C_1 \left(\frac{1}{2}\right)^1 \left(\frac{1}{2}\right)^{10-1}=\frac{5}{512}$$

$$P(X=2)={}_{10}C_2 \left(\frac{1}{2}\right)^2 \left(\frac{1}{2}\right)^{10-2}=\frac{45}{1024}$$

$$\therefore P(X \leq 2)=P(X=0)+P(X=1)+P(X=2)$$

$$=\frac{1}{1024}+\frac{5}{512}+\frac{45}{1024}=\frac{7}{128}$$

15 한 번의 시행에서 싹이 날 확률은 $\frac{1}{3}$이므로 확률변수 X는 이항분포 $B\left(5, \frac{1}{3}\right)$을 따른다.

따라서 X의 확률질량함수는

$$P(X=x)={}_5C_x \left(\frac{1}{3}\right)^x \left(\frac{2}{3}\right)^{5-x} \ (x=0, 1, 2, 3, 4, 5)$$이므로

$$P(X=4)={}_5C_4 \left(\frac{1}{3}\right)^4 \left(\frac{2}{3}\right)^{5-4}=\frac{10}{243}$$

$$P(X=5)={}_5C_5 \left(\frac{1}{3}\right)^5 \left(\frac{2}{3}\right)^{5-5}=\frac{1}{243}$$

$$\therefore P(X \geq 4)=P(X=4)+P(X=5)$$

$$=\frac{10}{243}+\frac{1}{243}=\frac{11}{243}$$

16 확률변수 X는 이항분포 $B\left(36, \frac{1}{3}\right)$을 따르므로

$$E(X)=36 \times \frac{1}{3}=12$$

$$V(X)=36 \times \frac{1}{3} \times \frac{2}{3}=8$$

$$\therefore E(X)V(X)=12 \times 8=96$$

17 한 번의 시행에서 앞면이 나올 확률은 $\frac{1}{2}$이므로 확률변수 X는 이항분포 $B\left(100, \frac{1}{2}\right)$을 따른다.

$$\therefore E(X)=100 \times \frac{1}{2}=50,$$

$$V(X)=100 \times \frac{1}{2} \times \frac{1}{2}=25$$

따라서 $V(X)=E(X^2)-\{E(X)\}^2$에서

$$E(X^2)=V(X)+\{E(X)\}^2$$

$$=25+50^2=2525$$

18 한 번의 시행에서 명중할 확률은 $\frac{9}{10}$이므로 확률변수 X는 이항분포 $B\left(400, \frac{9}{10}\right)$를 따른다.

따라서 $\sigma(X)=\sqrt{400 \times \frac{9}{10} \times \frac{1}{10}}=6$이므로

$$\sigma\left(\frac{1}{2}X+1\right)=\left|\frac{1}{2}\right|\sigma(X)$$

$$=\frac{1}{2} \times 6=3$$

06 연속확률변수와 정규분포

86~97쪽

001 답 연속확률변수

002 답 이산확률변수

003 답 이산확률변수

004 답 연속확률변수

005 답 ×

$y=f(x)$의 그래프와 x축 및 두 직선 $x=-1$, $x=1$로 둘러싸인 부분의 넓이가 1이 아니므로 확률밀도함수의 그래프가 될 수 없다.

006 답 ×

$-1<x<1$에서 $g(x)<0$이므로 확률밀도함수의 그래프가 될 수 없다.

007 답 $\dfrac{1}{3}$, $\dfrac{1}{3}$, $\dfrac{1}{3}$

008 답 $\dfrac{2}{3}$

$P(-1\leq X\leq 1)$은 오른쪽 그림과 같이 직선 $y=\dfrac{1}{3}$과 x축 및 두 직선 $x=-1$, $x=1$로 둘러싸인 부분의 넓이와 같으므로

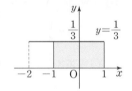

$$P(-1\leq X\leq 1)=2\times\dfrac{1}{3}=\dfrac{2}{3}$$

009 답 $\dfrac{3}{8}$

$f(x)=ax\,(1\leq x\leq 3)$는 확률밀도함수이므로 $a>0$이고 $y=f(x)$의 그래프는 오른쪽 그림과 같다.

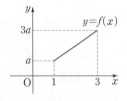

이때 $y=f(x)$의 그래프와 x축 및 두 직선 $x=1$, $x=3$으로 둘러싸인 부분의 넓이가 1이어야 하므로

$$\dfrac{1}{2}\times(a+3a)\times 2=1 \qquad\therefore a=\dfrac{1}{4}$$

$$\therefore f(x)=\dfrac{1}{4}x\,(1\leq x\leq 3)$$

따라서 $P(X\leq 2)$는 오른쪽 그림과 같이 직선 $y=\dfrac{1}{4}x$와 x축 및 두 직선 $x=1$, $x=2$로 둘러싸인 부분의 넓이와 같으므로

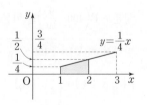

$$P(X\leq 2)=\dfrac{1}{2}\times\left(\dfrac{1}{4}+\dfrac{1}{2}\right)\times 1=\dfrac{3}{8}$$

010 답 $\dfrac{27}{32}$

$P\left(\dfrac{3}{2}\leq X\leq 3\right)$은 오른쪽 그림과 같이 직선 $y=\dfrac{1}{4}x$와 x축 및 두 직선 $x=\dfrac{3}{2}$, $x=3$으로 둘러싸인 부분의 넓이와 같으므로

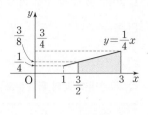

$$P\left(\dfrac{3}{2}\leq X\leq 3\right)=\dfrac{1}{2}\times\left(\dfrac{3}{8}+\dfrac{3}{4}\right)\times\dfrac{3}{2}=\dfrac{27}{32}$$

011 답 $\dfrac{7}{12}$

$f(x)=a(4-x)\,(0\leq x\leq 2)$는 확률밀도함수이므로 $a>0$이고 $y=f(x)$의 그래프는 오른쪽 그림과 같다.

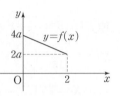

이때 $y=f(x)$의 그래프와 x축 및 두 직선 $x=0$, $x=2$로 둘러싸인 부분의 넓이가 1이어야 하므로

$$\dfrac{1}{2}\times(4a+2a)\times 2=1 \qquad\therefore a=\dfrac{1}{6}$$

$$\therefore f(x)=\dfrac{1}{6}(4-x)\,(0\leq x\leq 2)$$

따라서 $P(0\leq X\leq 1)$은 오른쪽 그림과 같이 직선 $y=\dfrac{1}{6}(4-x)$와 x축 및 두 직선 $x=0$, $x=1$로 둘러싸인 부분의 넓이와 같으므로

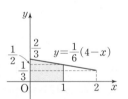

$$P(0\leq X\leq 1)=\dfrac{1}{2}\times\left(\dfrac{2}{3}+\dfrac{1}{2}\right)\times 1=\dfrac{7}{12}$$

012 답 $\dfrac{11}{16}$

$P\left(X\geq\dfrac{1}{2}\right)$은 오른쪽 그림과 같이 직선 $y=\dfrac{1}{6}(4-x)$와 x축 및 두 직선 $x=\dfrac{1}{2}$, $x=2$로 둘러싸인 부분의 넓이와 같으므로

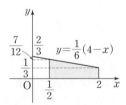

$$P\left(X\geq\dfrac{1}{2}\right)=\dfrac{1}{2}\times\left(\dfrac{7}{12}+\dfrac{1}{3}\right)\times\dfrac{3}{2}=\dfrac{11}{16}$$

013 답 $\dfrac{7}{8}$

$y=f(x)$의 그래프와 x축으로 둘러싸인 부분의 넓이가 1이어야 하므로

$$\dfrac{1}{2}\times 4\times a=1 \qquad\therefore a=\dfrac{1}{2}$$

따라서 $P(X\leq 1)$은 오른쪽 그림과 같이 $y=f(x)$의 그래프와 x축 및 직선 $x=1$로 둘러싸인 부분의 넓이와 같으므로

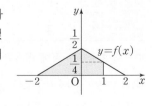

$$P(X\leq 1)=1-\left(\dfrac{1}{2}\times 1\times\dfrac{1}{4}\right)=\dfrac{7}{8}$$

014 답 $\dfrac{2}{3}$

$y=f(x)$의 그래프와 x축 및 직선 $x=2$로 둘러싸인 부분의 넓이가 1이어야 하므로

$\dfrac{1}{2}\times(2+4)\times a=1$ ∴ $a=\dfrac{1}{3}$

따라서 $\mathrm{P}(X\leq1)$은 오른쪽 그림과 같이 $y=f(x)$의 그래프와 x축 및 직선 $x=1$로 둘러싸인 부분의 넓이와 같으므로

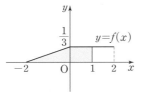

$\mathrm{P}(X\leq1)=1-\left(1\times\dfrac{1}{3}\right)=\dfrac{2}{3}$

015 답 $\mathrm{N}(5,\ 2^2)$

평균이 5, 분산이 $4=2^2$이므로 $\mathrm{N}(5,\ 2^2)$

016 답 $\mathrm{N}(7,\ 3^2)$

평균이 7, 분산이 $9=3^2$이므로 $\mathrm{N}(7,\ 3^2)$

017 답 $\mathrm{N}(8,\ 1^2)$

평균이 8, 분산이 $1=1^2$이므로 $\mathrm{N}(8,\ 1^2)$

018 답 10, 3, 2, 32, 9, 32, 9

019 답 $\mathrm{N}(-7,\ 3^2)$

확률변수 Y에 대하여

$\mathrm{E}(Y)=\mathrm{E}(-X+3)=-\mathrm{E}(X)+3=-10+3=-7$

$\sigma(Y)=\sigma(-X+3)=|-1|\sigma(X)=1\times3=3$

따라서 확률변수 Y가 따르는 정규분포는

$\mathrm{N}(-7,\ 3^2)$

020 답 $\mathrm{N}(16,\ 6^2)$

확률변수 Y에 대하여

$\mathrm{E}(Y)=\mathrm{E}(2X-4)=2\mathrm{E}(X)-4=2\times10-4=16$

$\sigma(Y)=\sigma(2X-4)=|2|\sigma(X)=2\times3=6$

따라서 확률변수 Y가 따르는 정규분포는

$\mathrm{N}(16,\ 6^2)$

021 답 $m_A=m_B<m_C$

두 곡선 A, B의 대칭축은 서로 같고, 곡선 C의 대칭축은 두 곡선 A, B의 대칭축보다 오른쪽에 있으므로

$m_A=m_B<m_C$

022 답 $\sigma_A=\sigma_C<\sigma_B$

두 곡선 A, C의 가운데 부분의 높이는 서로 같고, 곡선 B의 가운데 부분의 높이는 두 곡선 A, C의 가운데 부분의 높이보다 낮으므로

$\sigma_A=\sigma_C<\sigma_B$

023 답 ○

A학교의 확률밀도함수의 그래프의 대칭축이 B학교의 확률밀도함수의 그래프의 대칭축보다 왼쪽에 있으므로 평균적으로 A학교의 학생들보다 B학교의 학생들의 수학 성적이 더 좋다.

024 답 ○

A학교의 확률밀도함수의 그래프가 B학교의 확률밀도함수의 그래프보다 가운데 부분의 높이가 더 낮으므로 평균적으로 A학교의 학생들보다 B학교의 학생들의 수학 성적이 더 고르다.

025 답 m, σ, 2σ, σ, 2σ, b

026 답 $2a$

$\mathrm{P}(m-\sigma\leq X\leq m+\sigma)$

$=\mathrm{P}(m-\sigma\leq X\leq m)+\mathrm{P}(m\leq X\leq m+\sigma)$

$=\mathrm{P}(m\leq X\leq m+\sigma)+\mathrm{P}(m\leq X\leq m+\sigma)$

$=2\mathrm{P}(m\leq X\leq m+\sigma)$

$=2a$

027 답 $0.5+a$

$\mathrm{P}(X\leq m+\sigma)=\mathrm{P}(X\leq m)+\mathrm{P}(m\leq X\leq m+\sigma)$

$\qquad\qquad\quad=0.5+a$

028 답 $0.5-b$

$\mathrm{P}(X\leq m-2\sigma)=\mathrm{P}(X\geq m+2\sigma)$

$\qquad\qquad\qquad=\mathrm{P}(X\geq m)-\mathrm{P}(m\leq X\leq m+2\sigma)$

$\qquad\qquad\qquad=0.5-b$

029 답 $2b-a$

$\mathrm{P}(m-2\sigma\leq X\leq m)+\mathrm{P}(m+\sigma\leq X\leq m+2\sigma)$

$=\mathrm{P}(m\leq X\leq m+2\sigma)+\mathrm{P}(m\leq X\leq m+2\sigma)$

$\qquad\qquad\qquad\qquad\qquad\qquad-\mathrm{P}(m\leq X\leq m+\sigma)$

$=2\mathrm{P}(m\leq X\leq m+2\sigma)-\mathrm{P}(m\leq X\leq m+\sigma)$

$=2b-a$

030 답 2, 0.3413

031 답 0.1587

$\mathrm{P}(m-\sigma\leq X\leq m+\sigma)=0.6826$에서

$\mathrm{P}(m-\sigma\leq X\leq m)+\mathrm{P}(m\leq X\leq m+\sigma)=0.6826$

$\mathrm{P}(m\leq X\leq m+\sigma)+\mathrm{P}(m\leq X\leq m+\sigma)=0.6826$

$2\mathrm{P}(m\leq X\leq m+\sigma)=0.6826$

∴ $\mathrm{P}(m\leq X\leq m+\sigma)=0.3413$

∴ $\mathrm{P}(X\geq m+\sigma)=\mathrm{P}(X\geq m)-\mathrm{P}(m\leq X\leq m+\sigma)$

$\qquad\qquad\qquad=0.5-0.3413$

$\qquad\qquad\qquad=0.1587$

032 답 **0.6915**

$P(X \geq m - 0.5\sigma) = 0.6915$에서

$P(X \leq m + 0.5\sigma) = 0.6915$

033 답 **0.383**

$P(X \geq m - 0.5\sigma) = 0.6915$에서

$P(m - 0.5\sigma \leq X \leq m) + P(X \geq m) = 0.6915$

$P(m - 0.5\sigma \leq X \leq m) + 0.5 = 0.6915$

$\therefore P(m - 0.5\sigma \leq X \leq m) = 0.1915$

$\therefore P(m - 0.5\sigma \leq X \leq m + 0.5\sigma)$

$\quad = P(m - 0.5\sigma \leq X \leq m) + P(m \leq X \leq m + 0.5\sigma)$

$\quad = P(m - 0.5\sigma \leq X \leq m) + P(m - 0.5\sigma \leq X \leq m)$

$\quad = 2P(m - 0.5\sigma \leq X \leq m)$

$\quad = 2 \times 0.1915$

$\quad = 0.383$

034 답 **2, 2, 0.4772, 0.8185**

035 답 **0.9319**

$P(-3 \leq Z \leq 1.5) = P(-3 \leq Z \leq 0) + P(0 \leq Z \leq 1.5)$

$\qquad\qquad\qquad = P(0 \leq Z \leq 3) + P(0 \leq Z \leq 1.5)$

$\qquad\qquad\qquad = 0.4987 + 0.4332 = 0.9319$

036 답 **0.2857**

$P(-2 \leq Z \leq -0.5) = P(0.5 \leq Z \leq 2)$

$\qquad\qquad\qquad\quad = P(0 \leq Z \leq 2) - P(0 \leq Z \leq 0.5)$

$\qquad\qquad\qquad\quad = 0.4772 - 0.1915 = 0.2857$

037 답 **0.9772**

$P(Z \geq -2) = P(Z \leq 2)$

$\qquad\quad = P(Z \leq 0) + P(0 \leq Z \leq 2)$

$\qquad\quad = 0.5 + 0.4772 = 0.9772$

038 답 **0.0668**

$P(Z \geq 1.5) = P(Z \geq 0) - P(0 \leq Z \leq 1.5)$

$\qquad\qquad = 0.5 - 0.4332 = 0.0668$

039 답 **0.9987**

$P(Z \leq 3) = P(Z \leq 0) + P(0 \leq Z \leq 3)$

$\qquad\quad = 0.5 + 0.4987 = 0.9987$

040 답 **0.0062**

$P(Z \leq -2.5) = P(Z \geq 2.5)$

$\qquad\qquad = P(Z \geq 0) - P(0 \leq Z \leq 2.5)$

$\qquad\qquad = 0.5 - 0.4938 = 0.0062$

041 답 $Z = \dfrac{X-8}{2}$

평균이 8, 표준편차가 2이므로

$Z = \dfrac{X-8}{2}$

042 답 $Z = \dfrac{X-25}{3}$

평균이 25, 표준편차가 3이므로

$Z = \dfrac{X-25}{3}$

043 답 $Z = \dfrac{2X-1}{8}$

평균이 $\dfrac{1}{2}$, 표준편차가 4이므로

$Z = \dfrac{X - \dfrac{1}{2}}{4} = \dfrac{2X-1}{8}$

044 답 $Z = 3X - 39$

평균이 13, 표준편차가 $\dfrac{1}{3}$이므로

$Z = \dfrac{X-13}{\dfrac{1}{3}} = 3X - 39$

045 답 $Z = 10X - 500$

평균이 50, 표준편차가 0.1이므로

$Z = \dfrac{X-50}{0.1} = 10X - 500$

046 답 **0.5, 0.5, 0.5, 0.1915, 0.2417**

047 답 **0.8185**

$Z = \dfrac{X-15}{2}$라고 하면 Z는 표준정규분포 $N(0, 1)$을 따르므로

$P(13 \leq X \leq 19) = P\left(\dfrac{13-15}{2} \leq Z \leq \dfrac{19-15}{2}\right)$

$\qquad\qquad\qquad = P(-1 \leq Z \leq 2)$

$\qquad\qquad\qquad = P(-1 \leq Z \leq 0) + P(0 \leq Z \leq 2)$

$\qquad\qquad\qquad = P(0 \leq Z \leq 1) + P(0 \leq Z \leq 2)$

$\qquad\qquad\qquad = 0.3413 + 0.4772 = 0.8185$

048 답 **0.9772**

$Z = \dfrac{X-15}{2}$라고 하면 Z는 표준정규분포 $N(0, 1)$을 따르므로

$P(X \geq 11) = P\left(Z \geq \dfrac{11-15}{2}\right)$

$\qquad\qquad = P(Z \geq -2)$

$\qquad\qquad = P(Z \leq 2)$

$\qquad\qquad = P(Z \leq 0) + P(0 \leq Z \leq 2)$

$\qquad\qquad = 0.5 + 0.4772 = 0.9772$

049 답 **0.84**

$Z = \dfrac{X-24}{3}$라고 하면 Z는 표준정규분포 $N(0, 1)$을 따르므로

$P(15 \leq X \leq 27) = P\left(\dfrac{15-24}{3} \leq Z \leq \dfrac{27-24}{3}\right)$

$\qquad\qquad\qquad = P(-3 \leq Z \leq 1)$

$\qquad\qquad\qquad = P(-3 \leq Z \leq 0) + P(0 \leq Z \leq 1)$

$\qquad\qquad\qquad = P(0 \leq Z \leq 3) + P(0 \leq Z \leq 1)$

$\qquad\qquad\qquad = 0.4987 + 0.3413 = 0.84$

050 답 0.0215

$Z=\dfrac{X-24}{3}$라고 하면 Z는 표준정규분포 $N(0, 1)$을 따르므로

$$\begin{aligned}
P(30\leq X\leq 33)&=P\left(\dfrac{30-24}{3}\leq Z\leq\dfrac{33-24}{3}\right)\\
&=P(2\leq Z\leq 3)\\
&=P(0\leq Z\leq 3)-P(0\leq Z\leq 2)\\
&=0.4987-0.4772=0.0215
\end{aligned}$$

051 답 0.9319

$Z=\dfrac{X-30}{10}$이라고 하면 Z는 표준정규분포 $N(0, 1)$을 따르므로

$$\begin{aligned}
P(15\leq X\leq 60)&=P\left(\dfrac{15-30}{10}\leq Z\leq\dfrac{60-30}{10}\right)\\
&=P(-1.5\leq Z\leq 3)\\
&=P(-1.5\leq Z\leq 0)+P(0\leq Z\leq 3)\\
&=P(0\leq Z\leq 1.5)+P(0\leq Z\leq 3)\\
&=0.4332+0.4987=0.9319
\end{aligned}$$

052 답 0.0062

$Z=\dfrac{X-30}{10}$이라고 하면 Z는 표준정규분포 $N(0, 1)$을 따르므로

$$\begin{aligned}
P(X\leq 5)&=P\left(Z\leq\dfrac{5-30}{10}\right)\\
&=P(Z\leq -2.5)=P(Z\geq 2.5)\\
&=P(Z\geq 0)-P(0\leq Z\leq 2.5)\\
&=0.5-0.4938=0.0062
\end{aligned}$$

053 답 a, a, a, a, 3, 3, 50

054 답 38

$Z=\dfrac{X-32}{4}$라고 하면 Z는 표준정규분포 $N(0, 1)$을 따르므로

$P(34\leq X\leq a)=0.2417$에서

$$P\left(\dfrac{34-32}{4}\leq Z\leq\dfrac{a-32}{4}\right)=0.2417$$

$$P\left(0.5\leq Z\leq\dfrac{a-32}{4}\right)=0.2417$$

$$P\left(0\leq Z\leq\dfrac{a-32}{4}\right)-P(0\leq Z\leq 0.5)=0.2417$$

$$P\left(0\leq Z\leq\dfrac{a-32}{4}\right)-0.1915=0.2417$$

$$\therefore P\left(0\leq Z\leq\dfrac{a-32}{4}\right)=0.4332$$

이때 $P(0\leq Z\leq 1.5)=0.4332$이므로

$$\dfrac{a-32}{4}=1.5,\ a-32=6 \qquad \therefore a=38$$

055 답 115

$Z=\dfrac{X-100}{6}$이라고 하면 Z는 표준정규분포 $N(0, 1)$을 따르므로

$P(X\leq a)=0.9938$에서

$$P\left(Z\leq\dfrac{a-100}{6}\right)=0.9938$$

$$P(Z\leq 0)+P\left(0\leq Z\leq\dfrac{a-100}{6}\right)=0.9938$$

$$0.5+P\left(0\leq Z\leq\dfrac{a-100}{6}\right)=0.9938$$

$$\therefore P\left(0\leq Z\leq\dfrac{a-100}{6}\right)=0.4938$$

이때 $P(0\leq Z\leq 2.5)=0.4938$이므로

$$\dfrac{a-100}{6}=2.5,\ a-100=15 \qquad \therefore a=115$$

056 답 10, 10, 0.5, 0.5, 0.1915, 0.3085

057 답 0.0228

$Z=\dfrac{X-100}{8}$이라고 하면 Z는 표준정규분포 $N(0, 1)$을 따르므로 구하는 확률은

$$\begin{aligned}
P(X\geq 116)&=P\left(Z\geq\dfrac{116-100}{8}\right)\\
&=P(Z\geq 2)\\
&=P(Z\geq 0)-P(0\leq Z\leq 2)\\
&=0.5-0.4772=0.0228
\end{aligned}$$

058 답 0.6915

$Z=\dfrac{X-12}{2}$라고 하면 Z는 표준정규분포 $N(0, 1)$을 따르므로 구하는 확률은

$$\begin{aligned}
P(X\leq 13)&=P\left(Z\leq\dfrac{13-12}{2}\right)\\
&=P(Z\leq 0.5)\\
&=P(Z\leq 0)+P(0\leq Z\leq 0.5)\\
&=0.5+0.1915=0.6915
\end{aligned}$$

059 답 0.8185

$Z=\dfrac{X-200}{5}$이라고 하면 Z는 표준정규분포 $N(0, 1)$을 따르므로 구하는 확률은

$$\begin{aligned}
P(195\leq X\leq 210)&=P\left(\dfrac{195-200}{5}\leq Z\leq\dfrac{210-200}{5}\right)\\
&=P(-1\leq Z\leq 2)\\
&=P(-1\leq Z\leq 0)+P(0\leq Z\leq 2)\\
&=P(0\leq Z\leq 1)+P(0\leq Z\leq 2)\\
&=0.3413+0.4772=0.8185
\end{aligned}$$

060 답 0.0668

$Z=\dfrac{X-20}{4}$이라고 하면 Z는 표준정규분포 $N(0, 1)$을 따르므로 구하는 확률은

$$\begin{aligned}
P(X>26)&=P\left(Z>\dfrac{26-20}{4}\right)\\
&=P(Z>1.5)\\
&=P(Z\geq 0)-P(0\leq Z\leq 1.5)\\
&=0.5-0.4332=0.0668
\end{aligned}$$

061 답 84.13 %

학생들의 제자리멀리뛰기 기록을 X cm라고 하면 확률변수 X는 정규분포 $N(130, 20^2)$을 따른다.

이때 $Z=\dfrac{X-130}{20}$이라고 하면 Z는 표준정규분포 $N(0, 1)$을 따르므로

$$\begin{aligned}
P(X\geq110)&=P\Big(Z\geq\frac{110-130}{20}\Big)\\
&=P(Z\geq-1)=P(Z\leq1)\\
&=P(Z\leq0)+P(0\leq Z\leq1)\\
&=0.5+0.3413=0.8413
\end{aligned}$$

따라서 기록이 110 cm 이상인 학생은 전체의 84.13 %이다.

062 답 28.57 %

$$\begin{aligned}
P(140\leq X\leq170)&=P\Big(\frac{140-130}{20}\leq Z\leq\frac{170-130}{20}\Big)\\
&=P(0.5\leq Z\leq2)\\
&=P(0\leq Z\leq2)-P(0\leq Z\leq0.5)\\
&=0.4772-0.1915=0.2857
\end{aligned}$$

따라서 기록이 140 cm 이상 170 cm 이하인 학생은 전체의 28.57 %이다.

063 답 6.68 %

$$\begin{aligned}
P(X\leq100)&=P\Big(Z\leq\frac{100-130}{20}\Big)\\
&=P(Z\leq-1.5)=P(Z\geq1.5)\\
&=P(Z\geq0)-P(0\leq Z\leq1.5)\\
&=0.5-0.4332=0.0668
\end{aligned}$$

따라서 재평가를 받는 학생은 전체의 6.68 %이다.

064 답 1587

제품의 무게를 X g이라고 하면 확률변수 X는 정규분포 $N(20, 5^2)$을 따른다.

이때 $Z=\dfrac{X-20}{5}$이라고 하면 Z는 표준정규분포 $N(0, 1)$을 따르므로

$$\begin{aligned}
P(X\leq15)&=P\Big(Z\leq\frac{15-20}{5}\Big)\\
&=P(Z\leq-1)=P(Z\geq1)\\
&=P(Z\geq0)-P(0\leq Z\leq1)\\
&=0.5-0.3413=0.1587
\end{aligned}$$

따라서 무게가 15 g 이하인 제품의 개수는

$10000\times0.1587=1587$

065 답 13

$$\begin{aligned}
P(X\geq35)&=P\Big(Z\geq\frac{35-20}{5}\Big)\\
&=P(Z\geq3)\\
&=P(Z\geq0)-P(0\leq Z\leq3)\\
&=0.5-0.4987=0.0013
\end{aligned}$$

따라서 무게가 35 g 이상인 제품의 개수는

$10000\times0.0013=13$

066 답 9544

$$\begin{aligned}
P(10\leq X\leq30)&=P\Big(\frac{10-20}{5}\leq Z\leq\frac{30-20}{5}\Big)\\
&=P(-2\leq Z\leq2)\\
&=P(-2\leq Z\leq0)+P(0\leq Z\leq2)\\
&=P(0\leq Z\leq2)+P(0\leq Z\leq2)\\
&=2P(0\leq Z\leq2)\\
&=2\times0.4772=0.9544
\end{aligned}$$

따라서 정상 제품의 개수는

$10000\times0.9544=9544$

067 답 $N(24, 4^2)$

확률변수 X가 이항분포 $B\Big(72, \dfrac{1}{3}\Big)$을 따르므로

$E(X)=72\times\dfrac{1}{3}=24$

$V(X)=72\times\dfrac{1}{3}\times\dfrac{2}{3}=16$

따라서 X는 근사적으로 정규분포 $N(24, 4^2)$을 따른다.

068 답 $N(30, 5^2)$

확률변수 X가 이항분포 $B\Big(180, \dfrac{1}{6}\Big)$을 따르므로

$E(X)=180\times\dfrac{1}{6}=30$

$V(X)=180\times\dfrac{1}{6}\times\dfrac{5}{6}=25$

따라서 X는 근사적으로 정규분포 $N(30, 5^2)$을 따른다.

069 답 $N(324, 9^2)$

확률변수 X가 이항분포 $B\Big(432, \dfrac{3}{4}\Big)$을 따르므로

$E(X)=432\times\dfrac{3}{4}=324$

$V(X)=432\times\dfrac{3}{4}\times\dfrac{1}{4}=81$

따라서 X는 근사적으로 정규분포 $N(324, 9^2)$을 따른다.

070 답 $N(240, 12^2)$

확률변수 X가 이항분포 $B\Big(600, \dfrac{2}{5}\Big)$를 따르므로

$E(X)=600\times\dfrac{2}{5}=240$

$V(X)=600\times\dfrac{2}{5}\times\dfrac{3}{5}=144$

따라서 X는 근사적으로 정규분포 $N(240, 12^2)$을 따른다.

071 답 36, 9, 36, 36, 36, 3, 3, 3, 0.4987, 0.0013

072 답 0.6247

$$\begin{aligned}
P(34.5\leq X\leq40.5)&=P\Big(\frac{34.5-36}{3}\leq Z\leq\frac{40.5-36}{3}\Big)\\
&=P(-0.5\leq Z\leq1.5)\\
&=P(-0.5\leq Z\leq0)+P(0\leq Z\leq1.5)\\
&=P(0\leq Z\leq0.5)+P(0\leq Z\leq1.5)\\
&=0.1915+0.4332=0.6247
\end{aligned}$$

073 답 64, 32, 16, 4, 4, 4, 2.5, 2.5, 2.5, 0.4938, 0.0062

074 답 0.9987

소수의 눈이 나오는 횟수를 확률변수 X라고 하면 X는 이항분포 $B\left(900, \dfrac{1}{2}\right)$을 따르므로

$E(X)=900\times\dfrac{1}{2}=450$

$V(X)=900\times\dfrac{1}{2}\times\dfrac{1}{2}=225$

이때 X는 근사적으로 정규분포 $N(450, 15^2)$을 따르므로

$Z=\dfrac{X-450}{15}$이라고 하면 Z는 표준정규분포 $N(0, 1)$을 따른다.

따라서 구하는 확률은

$\begin{aligned}P(X\le495)&=P\left(Z\le\dfrac{495-450}{15}\right)\\&=P(Z\le3)\\&=P(Z\le0)+P(0\le Z\le3)\\&=0.5+0.4987=0.9987\end{aligned}$

075 답 0.9544

3의 눈이 나오는 횟수를 확률변수 X라고 하면 X는 이항분포 $B\left(180, \dfrac{1}{6}\right)$을 따르므로

$E(X)=180\times\dfrac{1}{6}=30$

$V(X)=180\times\dfrac{1}{6}\times\dfrac{5}{6}=25$

이때 X는 근사적으로 정규분포 $N(30, 5^2)$을 따르므로

$Z=\dfrac{X-30}{5}$이라고 하면 Z는 표준정규분포 $N(0, 1)$을 따른다.

따라서 구하는 확률은

$\begin{aligned}P(20\le X\le40)&=P\left(\dfrac{20-30}{5}\le Z\le\dfrac{40-30}{5}\right)\\&=P(-2\le Z\le2)\\&=P(-2\le Z\le0)+P(0\le Z\le2)\\&=P(0\le Z\le2)+P(0\le Z\le2)\\&=2P(0\le Z\le2)\\&=2\times0.4772=0.9544\end{aligned}$

076 답 0.3085

치료되는 환자의 수를 확률변수 X라고 하면 X는 이항분포 $B\left(600, \dfrac{3}{5}\right)$을 따르므로

$E(X)=600\times\dfrac{3}{5}=360$

$V(X)=600\times\dfrac{3}{5}\times\dfrac{2}{5}=144$

이때 X는 근사적으로 정규분포 $N(360, 12^2)$을 따르므로

$Z=\dfrac{X-360}{12}$이라고 하면 Z는 표준정규분포 $N(0, 1)$을 따른다.

따라서 구하는 확률은

$\begin{aligned}P(X\ge366)&=P\left(Z\ge\dfrac{366-360}{12}\right)\\&=P(Z\ge0.5)\\&=P(Z\ge0)-P(0\le Z\le0.5)\\&=0.5-0.1915=0.3085\end{aligned}$

077 답 0.8413

자유투를 성공하는 횟수를 확률변수 X라고 하면 X는 이항분포 $B\left(100, \dfrac{4}{5}\right)$를 따르므로

$E(X)=100\times\dfrac{4}{5}=80$

$V(X)=100\times\dfrac{4}{5}\times\dfrac{1}{5}=16$

이때 X는 근사적으로 정규분포 $N(80, 4^2)$을 따르므로

$Z=\dfrac{X-80}{4}$이라고 하면 Z는 표준정규분포 $N(0, 1)$을 따른다.

따라서 구하는 확률은

$\begin{aligned}P(X\ge76)&=P\left(Z\ge\dfrac{76-80}{4}\right)\\&=P(Z\ge-1)=P(Z\le1)\\&=P(Z\le0)+P(0\le Z\le1)\\&=0.5+0.3413=0.8413\end{aligned}$

연산유형 **최종 점검하기**   98~99쪽

1 1	2 ②	3 B, B	4 ②	5 0.9544	6 ⑤
7 0.8185	8 ⑤	9 0.62 %	10 1234	11 0.8413	
12 ②					

1 $y=f(x)$의 그래프와 x축 및 두 직선 $x=-1$, $x=1$로 둘러싸인 부분의 넓이가 1이어야 하므로

$\dfrac{1}{2}\times1\times a+\dfrac{1}{2}\times1\times a=1$ ∴ $a=1$

2 $f(x)=ax\,(0\le x\le2)$는 확률밀도함수이므로 $a>0$이고 그 그래프는 오른쪽 그림과 같다.

이때 $y=f(x)$의 그래프와 x축 및 직선 $x=2$로 둘러싸인 부분의 넓이가 1이어야 하므로

$\dfrac{1}{2}\times2\times2a=1$ ∴ $a=\dfrac{1}{2}$

∴ $f(x)=\dfrac{1}{2}x\,(0\le x\le2)$

따라서 $P(X\le1)$은 오른쪽 그림과 같이 직선 $y=\dfrac{1}{2}x$와 x축 및 직선 $x=1$로 둘러싸인 부분의 넓이와 같으므로

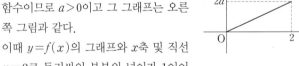

$P(X\le1)=\dfrac{1}{2}\times1\times\dfrac{1}{2}=\dfrac{1}{4}$

3 평균이 클수록 곡선의 대칭축은 오른쪽에 있고 분산이 클수록 곡선의 가운데 부분의 높이는 낮아지므로 평균과 분산 모두 B가 더 크다.

4 $P(m-\sigma \leq X \leq m+\sigma)=a$에서

$P(m-\sigma \leq X \leq m)+P(m \leq X \leq m+\sigma)=a$

$P(m \leq X \leq m+\sigma)+P(m \leq X \leq m+\sigma)=a$

$2P(m \leq X \leq m+\sigma)=a$ $\quad \therefore P(m \leq X \leq m+\sigma)=\dfrac{a}{2}$

$P(m-2\sigma \leq X \leq m+2\sigma)=b$에서

$P(m-2\sigma \leq X \leq m)+P(m \leq X \leq m+2\sigma)=b$

$P(m \leq X \leq m+2\sigma)+P(m \leq X \leq m+2\sigma)=b$

$2P(m \leq X \leq m+2\sigma)=b$ $\quad \therefore P(m \leq X \leq m+2\sigma)=\dfrac{b}{2}$

$\therefore P(m+\sigma \leq X \leq m+2\sigma)$

$\quad =P(m \leq X \leq m+2\sigma)-P(m \leq X \leq m+\sigma)$

$\quad =\dfrac{b}{2}-\dfrac{a}{2}=\dfrac{b-a}{2}$

5 $P(X \geq m+2\sigma)=0.0228$에서

$P(X \geq m)-P(m \leq X \leq m+2\sigma)=0.0228$

$0.5-P(m \leq X \leq m+2\sigma)=0.0228$

$\therefore P(m \leq X \leq m+2\sigma)=0.4772$

$\therefore P(m-2\sigma \leq X \leq m+2\sigma)$

$\quad =P(m-2\sigma \leq X \leq m)+P(m \leq X \leq m+2\sigma)$

$\quad =P(m \leq X \leq m+2\sigma)+P(m \leq X \leq m+2\sigma)$

$\quad =2P(m \leq X \leq m+2\sigma)$

$\quad =2 \times 0.4772=0.9544$

6 확률변수 X가 정규분포 $N(m, 6^2)$을 따르므로 $Z=\dfrac{X-m}{6}$
은 표준정규분포 $N(0, 1)$을 따른다.

따라서 $\dfrac{X-20}{\sigma}=\dfrac{X-m}{6}$이므로

$m=20,\ \sigma=6$ $\quad \therefore m\sigma=120$

7 $Z=\dfrac{X-60}{10}$이라고 하면 Z는 표준정규분포 $N(0, 1)$을 따르
므로

$P(50 \leq X \leq 80)=P\left(\dfrac{50-60}{10} \leq Z \leq \dfrac{80-60}{10}\right)$

$\qquad\qquad\qquad =P(-1 \leq Z \leq 2)$

$\qquad\qquad\qquad =P(-1 \leq Z \leq 0)+P(0 \leq Z \leq 2)$

$\qquad\qquad\qquad =P(0 \leq Z \leq 1)+P(0 \leq Z \leq 2)$

$\qquad\qquad\qquad =0.3413+0.4772=0.8185$

8 $Z=\dfrac{X-12}{4}$라고 하면 Z는 표준정규분포 $N(0, 1)$을 따르므
로 $P(X \leq a)=0.9332$에서

$P\left(Z \leq \dfrac{a-12}{4}\right)=0.9332$

$P(Z \leq 0)+P\left(0 \leq Z \leq \dfrac{a-12}{4}\right)=0.9332$

$0.5+P\left(0 \leq Z \leq \dfrac{a-12}{4}\right)=0.9332$

$\therefore P\left(0 \leq Z \leq \dfrac{a-12}{4}\right)=0.4332$

이때 $P(0 \leq Z \leq 1.5)=0.4332$이므로

$\dfrac{a-12}{4}=1.5,\ a-12=6$ $\quad \therefore a=18$

9 학생들의 몸무게를 X kg이라고 하면 확률변수 X는 정규분포
$N(60, 12^2)$을 따른다. 이때 $Z=\dfrac{X-60}{12}$이라고 하면 Z는 표준정
규분포 $N(0, 1)$을 따르므로

$P(X \geq 90)=P\left(Z \geq \dfrac{90-60}{12}\right)$

$\qquad\qquad =P(Z \geq 2.5)$

$\qquad\qquad =P(Z \geq 0)-P(0 \leq Z \leq 2.5)$

$\qquad\qquad =0.5-0.4938=0.0062$

따라서 몸무게가 90 kg 이상인 학생은 전체의 0.62 %이다.

10 당근의 무게를 X g이라고 하면 확률변수 X는 정규분포
$N(200, 30^2)$을 따른다. 이때 $Z=\dfrac{X-200}{30}$이라고 하면 Z는 표준
정규분포 $N(0, 1)$을 따르므로

$P(X \leq 185)=P\left(Z \leq \dfrac{185-200}{30}\right)$

$\qquad\qquad\ =P(Z \leq -0.5)$

$\qquad\qquad\ =P(Z \geq 0.5)$

$\qquad\qquad\ =P(Z \geq 0)-P(0 \leq Z \leq 0.5)$

$\qquad\qquad\ =0.5-0.1915=0.3085$

따라서 폐기할 당근의 개수는

$4000 \times 0.3085=1234$

11 확률변수 X가 이항분포 $B\left(162, \dfrac{2}{3}\right)$를 따르므로

$E(X)=162 \times \dfrac{2}{3}=108$

$V(X)=162 \times \dfrac{2}{3} \times \dfrac{1}{3}=36$

이때 X는 근사적으로 정규분포 $N(108, 6^2)$을 따르므로

$Z=\dfrac{X-108}{6}$이라고 하면 Z는 표준정규분포 $N(0, 1)$을 따른다.

$\therefore P(X \leq 114)=P\left(Z \leq \dfrac{114-108}{6}\right)$

$\qquad\qquad\quad =P(Z \leq 1)$

$\qquad\qquad\quad =P(Z \leq 0)+P(0 \leq Z \leq 1)$

$\qquad\qquad\quad =0.5+0.3413=0.8413$

12 불량품의 개수를 확률변수 X라고 하면 X는 이항분포
$B\left(400, \dfrac{1}{10}\right)$을 따르므로

$E(X)=400 \times \dfrac{1}{10}=40$

$V(X)=400 \times \dfrac{1}{10} \times \dfrac{9}{10}=36$

이때 X는 근사적으로 정규분포 $N(40, 6^2)$을 따르므로

$Z=\dfrac{X-40}{6}$이라고 하면 Z는 표준정규분포 $N(0, 1)$을 따른다.

따라서 구하는 확률은

$P(46 \leq X \leq 58)=P\left(\dfrac{46-40}{6} \leq Z \leq \dfrac{58-40}{6}\right)$

$\qquad\qquad\qquad =P(1 \leq Z \leq 3)$

$\qquad\qquad\qquad =P(0 \leq Z \leq 3)-P(0 \leq Z \leq 1)$

$\qquad\qquad\qquad =0.4987-0.3413=0.1574$

07 통계적 추정

001 답 전수조사

002 답 표본조사

003 답 전수조사

004 답 표본조사

005 답 표본조사

006 답 **49**

1장씩 2번 복원추출하는 경우의 수는 7장의 카드에서 2장을 뽑는 중복순열의 수와 같으므로

$_7\Pi_2 = 7^2 = 49$

007 답 **343**

1장씩 3번 복원추출하는 경우의 수는 7장의 카드에서 3장을 뽑는 중복순열의 수와 같으므로

$_7\Pi_3 = 7^3 = 343$

008 답 **42**

1장씩 2번 비복원추출하는 경우의 수는 7장의 카드에서 2장을 뽑는 순열의 수와 같으므로

$_7P_2 = 7 \times 6 = 42$

009 답 **1, 3, 3, 1, 3, 1, 3, $\dfrac{2}{9}$**

010 답 풀이 참고

표본의 합이 같은 경우로 나누어 표본평균 $\overline{X}$를 구한다.

(i) 표본이 (1, 1)인 경우

$\overline{X} = 1$

(ii) 표본이 (1, 2), (2, 1)인 경우

$\overline{X} = \dfrac{3}{2}$

(iii) 표본이 (2, 2)인 경우

$\overline{X} = 2$

따라서 표본평균 $\overline{X}$가 가지는 값은 1, $\dfrac{3}{2}$, 2이므로 $\overline{X}$의 확률분포를 표로 나타내면 다음과 같다.

$\overline{X}$	1	$\dfrac{3}{2}$	2	합계
$P(\overline{X}=\overline{x})$	$\dfrac{1}{4}$	$\dfrac{1}{2}$	$\dfrac{1}{4}$	1

011 답 풀이 참고

표본의 합이 같은 경우로 나누어 표본평균 $\overline{X}$를 구한다.

(i) 표본이 (0, 0)인 경우

$\overline{X} = 0$

(ii) 표본이 (0, 2), (2, 0)인 경우

$\overline{X} = 1$

(iii) 표본이 (0, 4), (2, 2), (4, 0)인 경우

$\overline{X} = 2$

(iv) 표본이 (2, 4), (4, 2)인 경우

$\overline{X} = 3$

(v) 표본이 (4, 4)인 경우

$\overline{X} = 4$

따라서 표본평균 $\overline{X}$가 가지는 값은 0, 1, 2, 3, 4이므로 $\overline{X}$의 확률분포를 표로 나타내면 다음과 같다.

$\overline{X}$	0	1	2	3	4	합계
$P(\overline{X}=\overline{x})$	$\dfrac{1}{9}$	$\dfrac{2}{9}$	$\dfrac{1}{3}$	$\dfrac{2}{9}$	$\dfrac{1}{9}$	1

012 답 **30, 6, 4, 6, 2**

013 답 **평균: 30, 분산: 1, 표준편차: 1**

표본의 크기가 36, 모평균이 30, 모표준편차가 6이므로

$E(\overline{X}) = 30$

$V(\overline{X}) = \dfrac{6^2}{36} = 1$

$\sigma(\overline{X}) = \dfrac{6}{\sqrt{36}} = 1$

014 답 **평균: 30, 분산: $\dfrac{9}{25}$, 표준편차: $\dfrac{3}{5}$**

표본의 크기가 100, 모평균이 30, 모표준편차가 6이므로

$E(\overline{X}) = 30$

$V(\overline{X}) = \dfrac{6^2}{100} = \dfrac{9}{25}$

$\sigma(\overline{X}) = \dfrac{6}{\sqrt{100}} = \dfrac{3}{5}$

015 답 **평균: 8, 분산: 1, 표준편차: 1**

표본의 크기가 25, 모평균이 8, 모표준편차가 5이므로

$E(\overline{X}) = 8$

$V(\overline{X}) = \dfrac{5^2}{25} = 1$

$\sigma(\overline{X}) = \dfrac{5}{\sqrt{25}} = 1$

016 답 **평균: 17, 분산: $\dfrac{49}{25}$, 표준편차: $\dfrac{7}{5}$**

표본의 크기가 25, 모평균이 17, 모표준편차가 7이므로

$E(\overline{X}) = 17$

$V(\overline{X}) = \dfrac{7^2}{25} = \dfrac{49}{25}$

$\sigma(\overline{X}) = \dfrac{7}{\sqrt{25}} = \dfrac{7}{5}$

017 답 평균: **121**, 분산: $\dfrac{144}{25}$, 표준편차: $\dfrac{12}{5}$

표본의 크기가 25, 모평균이 121, 모표준편차가 12이므로

$E(\overline{X})=121$

$V(\overline{X})=\dfrac{12^2}{25}=\dfrac{144}{25}$

$\sigma(\overline{X})=\dfrac{12}{\sqrt{25}}=\dfrac{12}{5}$

018 답 $\dfrac{1}{6}$, $\dfrac{1}{6}$, 4, $\dfrac{1}{6}$, 28, 12, 4, $\dfrac{4}{3}$

019 답 $E(\overline{X})=1$, $V(\overline{X})=\dfrac{1}{18}$

확률의 총합은 1이므로

$a+\dfrac{1}{2}+\dfrac{1}{4}=1$ $\quad\therefore a=\dfrac{1}{4}$

따라서 확률변수 X에 대하여

$E(X)=0\times\dfrac{1}{4}+1\times\dfrac{1}{2}+2\times\dfrac{1}{4}=1$

$E(X^2)=0^2\times\dfrac{1}{4}+1^2\times\dfrac{1}{2}+2^2\times\dfrac{1}{4}=\dfrac{3}{2}$

$\therefore V(X)=E(X^2)-\{E(X)\}^2=\dfrac{3}{2}-1^2=\dfrac{1}{2}$

이때 표본의 크기가 9이므로

$E(\overline{X})=1$

$V(\overline{X})=\dfrac{\frac{1}{2}}{9}=\dfrac{1}{18}$

020 답 $E(\overline{X})=1$, $V(\overline{X})=\dfrac{5}{36}$

확률의 총합은 1이므로

$2a+\dfrac{1}{8}+a+\dfrac{1}{8}=1$, $3a+\dfrac{1}{4}=1$

$\therefore a=\dfrac{1}{4}$

따라서 확률변수 X에 대하여

$E(X)=0\times\dfrac{1}{2}+1\times\dfrac{1}{8}+2\times\dfrac{1}{4}+3\times\dfrac{1}{8}=1$

$E(X^2)=0^2\times\dfrac{1}{2}+1^2\times\dfrac{1}{8}+2^2\times\dfrac{1}{4}+3^2\times\dfrac{1}{8}=\dfrac{9}{4}$

$\therefore V(X)=E(X^2)-\{E(X)\}^2=\dfrac{9}{4}-1^2=\dfrac{5}{4}$

이때 표본의 크기가 9이므로

$E(\overline{X})=1$

$V(\overline{X})=\dfrac{\frac{5}{4}}{9}=\dfrac{5}{36}$

021 답 3, $\dfrac{1}{2}$, $\dfrac{7}{3}$, $\dfrac{5}{9}$, $\dfrac{7}{3}$, $\dfrac{1}{9}$

022 답 $E(\overline{X})=\dfrac{14}{3}$, $V(\overline{X})=\dfrac{4}{9}$

확률변수 X의 확률분포를 표로 나타내면 다음과 같다.

X	2	4	6	합계
$P(X=x)$	$\dfrac{1}{6}$	$\dfrac{1}{3}$	$\dfrac{1}{2}$	1

따라서 확률변수 X에 대하여

$E(X)=2\times\dfrac{1}{6}+4\times\dfrac{1}{3}+6\times\dfrac{1}{2}=\dfrac{14}{3}$

$E(X^2)=2^2\times\dfrac{1}{6}+4^2\times\dfrac{1}{3}+6^2\times\dfrac{1}{2}=24$

$\therefore V(X)=E(X^2)-\{E(X)\}^2=24-\left(\dfrac{14}{3}\right)^2=\dfrac{20}{9}$

이때 표본의 크기가 5이므로

$E(\overline{X})=\dfrac{14}{3}$

$V(\overline{X})=\dfrac{\frac{20}{9}}{5}=\dfrac{4}{9}$

023 답 $E(\overline{X})=\dfrac{18}{7}$, $V(\overline{X})=\dfrac{19}{245}$

확률변수 X의 확률분포를 표로 나타내면 다음과 같다.

X	1	2	3	합계
$P(X=x)$	$\dfrac{1}{14}$	$\dfrac{2}{7}$	$\dfrac{9}{14}$	1

따라서 확률변수 X에 대하여

$E(X)=1\times\dfrac{1}{14}+2\times\dfrac{2}{7}+3\times\dfrac{9}{14}=\dfrac{18}{7}$

$E(X^2)=1^2\times\dfrac{1}{14}+2^2\times\dfrac{2}{7}+3^2\times\dfrac{9}{14}=7$

$\therefore V(X)=E(X^2)-\{E(X)\}^2=7-\left(\dfrac{18}{7}\right)^2=\dfrac{19}{49}$

이때 표본의 크기가 5이므로

$E(\overline{X})=\dfrac{18}{7}$

$V(\overline{X})=\dfrac{\frac{19}{49}}{5}=\dfrac{19}{245}$

024 답 $\dfrac{3}{8}$, $\dfrac{3}{8}$, $\dfrac{3}{8}$, $\dfrac{19}{4}$, $\dfrac{3}{4}$, $\dfrac{3}{8}$

025 답 $E(\overline{X})=\dfrac{7}{2}$, $V(\overline{X})=\dfrac{35}{24}$

주사위를 1번 던져서 나온 눈의 수를 확률변수 X라 하고 X의 확률분포를 표로 나타내면 다음과 같다.

X	1	2	3	4	5	6	합계
$P(X=x)$	$\dfrac{1}{6}$	$\dfrac{1}{6}$	$\dfrac{1}{6}$	$\dfrac{1}{6}$	$\dfrac{1}{6}$	$\dfrac{1}{6}$	1

따라서 확률변수 X에 대하여

$E(X)=1\times\dfrac{1}{6}+2\times\dfrac{1}{6}+3\times\dfrac{1}{6}+4\times\dfrac{1}{6}+5\times\dfrac{1}{6}+6\times\dfrac{1}{6}=\dfrac{7}{2}$

$E(X^2)=1^2\times\dfrac{1}{6}+2^2\times\dfrac{1}{6}+3^2\times\dfrac{1}{6}+4^2\times\dfrac{1}{6}+5^2\times\dfrac{1}{6}+6^2\times\dfrac{1}{6}=\dfrac{91}{6}$

$\therefore V(X)=E(X^2)-\{E(X)\}^2=\dfrac{91}{6}-\left(\dfrac{7}{2}\right)^2=\dfrac{35}{12}$

이때 표본의 크기가 2이므로

$E(\overline{X})=\dfrac{7}{2}$

$V(\overline{X})=\dfrac{\frac{35}{12}}{2}=\dfrac{35}{24}$

026 답 $E(\overline{X})=\dfrac{14}{3}$, $V(\overline{X})=\dfrac{28}{9}$

주머니에서 공 1개를 임의로 꺼낼 때, 공에 적힌 수를 확률변수 X
라 하고 X의 확률분포를 표로 나타내면 다음과 같다.

X	2	4	8	합계
$P(X=x)$	$\dfrac{1}{3}$	$\dfrac{1}{3}$	$\dfrac{1}{3}$	1

따라서 확률변수 X에 대하여

$E(X)=2\times\dfrac{1}{3}+4\times\dfrac{1}{3}+8\times\dfrac{1}{3}=\dfrac{14}{3}$

$E(X^2)=2^2\times\dfrac{1}{3}+4^2\times\dfrac{1}{3}+8^2\times\dfrac{1}{3}=28$

$\therefore V(X)=E(X^2)-\{E(X)\}^2=28-\left(\dfrac{14}{3}\right)^2=\dfrac{56}{9}$

이때 표본의 크기가 2이므로

$E(\overline{X})=\dfrac{14}{3}$

$V(\overline{X})=\dfrac{\frac{56}{9}}{2}=\dfrac{28}{9}$

027 답 $E(\overline{X})=\dfrac{11}{6}$, $V(\overline{X})=\dfrac{29}{108}$

상자에서 카드 1장을 임의로 꺼낼 때, 카드에 적힌 수를 확률변수
X라 하고 X의 확률분포를 표로 나타내면 다음과 같다.

X	1	2	3	합계
$P(X=x)$	$\dfrac{1}{2}$	$\dfrac{1}{6}$	$\dfrac{1}{3}$	1

따라서 확률변수 X에 대하여

$E(X)=1\times\dfrac{1}{2}+2\times\dfrac{1}{6}+3\times\dfrac{1}{3}=\dfrac{11}{6}$

$E(X^2)=1^2\times\dfrac{1}{2}+2^2\times\dfrac{1}{6}+3^2\times\dfrac{1}{3}=\dfrac{25}{6}$

$\therefore V(X)=E(X^2)-\{E(X)\}^2=\dfrac{25}{6}-\left(\dfrac{11}{6}\right)^2=\dfrac{29}{36}$

이때 표본의 크기가 3이므로

$E(\overline{X})=\dfrac{11}{6}$

$V(\overline{X})=\dfrac{\frac{29}{36}}{3}=\dfrac{29}{108}$

028 답 0.6826

모집단이 정규분포 $N(200, 50^2)$을 따르고 표본의 크기가 100이
므로 표본평균 $\overline{X}$는 정규분포 $N\left(200, \dfrac{50^2}{100}\right)$, 즉 $N(200, 5^2)$을
따른다.

$Z=\dfrac{\overline{X}-200}{5}$이라고 하면 Z는 표준정규분포 $N(0, 1)$을 따르므로

$P(195\le\overline{X}\le205)=P\left(\dfrac{195-200}{5}\le Z\le\dfrac{205-200}{5}\right)$

$=P(-1\le Z\le1)$

$=P(-1\le Z\le0)+P(0\le Z\le1)$

$=2P(0\le Z\le1)$

$=2\times0.3413=0.6826$

029 답 0.0013

$P(\overline{X}\le185)=P\left(Z\le\dfrac{185-200}{5}\right)$

$=P(Z\le-3)$

$=P(Z\ge3)$

$=P(Z\ge0)-P(0\le Z\le3)$

$=0.5-0.4987=0.0013$

030 답 0.2515

$P(190\le\overline{X}\le197)=P\left(\dfrac{190-200}{5}\le Z\le\dfrac{197-200}{5}\right)$

$=P(-2\le Z\le-0.6)$

$=P(0.6\le Z\le2)$

$=P(0\le Z\le2)-P(0\le Z\le0.6)$

$=0.4772-0.2257=0.2515$

031 답 0.8621

모집단이 정규분포 $N(1000, 30^2)$을 따르고 표본의 크기가 9이므
로 표본평균 $\overline{X}$는 정규분포 $N\left(1000, \dfrac{30^2}{9}\right)$, 즉 $N(1000, 10^2)$을
따른다.

$Z=\dfrac{\overline{X}-1000}{10}$이라고 하면 Z는 표준정규분포 $N(0, 1)$을 따르므
로

$P(988\le\overline{X}\le1020)=P\left(\dfrac{988-1000}{10}\le Z\le\dfrac{1020-1000}{10}\right)$

$=P(-1.2\le Z\le2)$

$=P(-1.2\le Z\le0)+P(0\le Z\le2)$

$=P(0\le Z\le1.2)+P(0\le Z\le2)$

$=0.3849+0.4772=0.8621$

032 답 0.9452

$P(\overline{X}\le1016)=P\left(Z\le\dfrac{1016-1000}{10}\right)$

$=P(Z\le1.6)$

$=P(Z\le0)+P(0\le Z\le1.6)$

$=0.5+0.4452=0.9452$

033 답 0.1151

$P(\overline{X}\ge1012)=P\left(Z\ge\dfrac{1012-1000}{10}\right)$

$=P(Z\ge1.2)$

$=P(Z\ge0)-P(0\le Z\le1.2)$

$=0.5-0.3849=0.1151$

034 답 $32.12\le m\le43.88$

표본의 크기가 4, 표본평균이 38, 모표준편차가 6이므로 모평균 m
에 대한 신뢰도 95 %의 신뢰구간은

$38-1.96\times\dfrac{6}{\sqrt{4}}\le m\le38+1.96\times\dfrac{6}{\sqrt{4}}$

$\therefore 32.12\le m\le43.88$

035 답 $47.06 \le m \le 52.94$

표본의 크기가 16, 표본평균이 50, 모표준편차가 6이므로 모평균 m에 대한 신뢰도 95 %의 신뢰구간은

$$50 - 1.96 \times \frac{6}{\sqrt{16}} \le m \le 50 + 1.96 \times \frac{6}{\sqrt{16}}$$

$$\therefore 47.06 \le m \le 52.94$$

036 답 $86.53 \le m \le 89.47$

표본의 크기가 64, 표본평균이 88, 모표준편차가 6이므로 모평균 m에 대한 신뢰도 95 %의 신뢰구간은

$$88 - 1.96 \times \frac{6}{\sqrt{64}} \le m \le 88 + 1.96 \times \frac{6}{\sqrt{64}}$$

$$\therefore 86.53 \le m \le 89.47$$

037 답 $33.68 \le m \le 54.32$

표본의 크기가 9, 표본평균이 44, 모표준편차가 12이므로 모평균 m에 대한 신뢰도 99 %의 신뢰구간은

$$44 - 2.58 \times \frac{12}{\sqrt{9}} \le m \le 44 + 2.58 \times \frac{12}{\sqrt{9}}$$

$$\therefore 33.68 \le m \le 54.32$$

038 답 $104.84 \le m \le 115.16$

표본의 크기가 36, 표본평균이 110, 모표준편차가 12이므로 모평균 m에 대한 신뢰도 99 %의 신뢰구간은

$$110 - 2.58 \times \frac{12}{\sqrt{36}} \le m \le 110 + 2.58 \times \frac{12}{\sqrt{36}}$$

$$\therefore 104.84 \le m \le 115.16$$

039 답 $237.42 \le m \le 242.58$

표본의 크기가 144, 표본평균이 240, 모표준편차가 12이므로 모평균 m에 대한 신뢰도 99 %의 신뢰구간은

$$240 - 2.58 \times \frac{12}{\sqrt{144}} \le m \le 240 + 2.58 \times \frac{12}{\sqrt{144}}$$

$$\therefore 237.42 \le m \le 242.58$$

040 답 7.84

표본의 크기가 25, 모표준편차가 10이므로 모평균에 대한 신뢰도 95 %의 신뢰구간의 길이는

$$2 \times 1.96 \times \frac{10}{\sqrt{25}} = 7.84$$

041 답 10.32

표본의 크기가 25, 모표준편차가 10이므로 모평균에 대한 신뢰도 99 %의 신뢰구간의 길이는

$$2 \times 2.58 \times \frac{10}{\sqrt{25}} = 10.32$$

042 답 11.76

표본의 크기가 49, 모표준편차가 21이므로 모평균에 대한 신뢰도 95 %의 신뢰구간의 길이는

$$2 \times 1.96 \times \frac{21}{\sqrt{49}} = 11.76$$

043 답 15.48

표본의 크기가 49, 모표준편차가 21이므로 모평균에 대한 신뢰도 99 %의 신뢰구간의 길이는

$$2 \times 2.58 \times \frac{21}{\sqrt{49}} = 15.48$$

044 답 7, 7, 7, 7, 49

045 답 9

표본의 크기가 n, 표본평균이 50, 모표준편차가 9이므로 모평균 m에 대한 신뢰도 99 %의 신뢰구간은

$$50 - 2.58 \times \frac{9}{\sqrt{n}} \le m \le 50 + 2.58 \times \frac{9}{\sqrt{n}}$$

이를 $42.26 \le m \le 57.74$와 비교하면

$$2.58 \times \frac{9}{\sqrt{n}} = 7.74, \ \sqrt{n} = 3$$

$$\therefore n = 9$$

046 답 97

표본의 크기가 n, 모표준편차가 5이므로 모평균에 대한 신뢰도 95 %의 신뢰구간의 길이는

$$2 \times 1.96 \times \frac{5}{\sqrt{n}}$$

이때 신뢰구간의 길이가 2 이하이려면

$$2 \times 1.96 \times \frac{5}{\sqrt{n}} \le 2에서$$

$$\sqrt{n} \ge 9.8$$

$$\therefore n \ge 96.04$$

따라서 자연수 n의 최솟값은 97이다.

연산 유형 최종 점검하기

1 ⑤	**2** ①	**3** ③	**4** $\frac{1}{12}$	**5** ③	**6** $\frac{38}{25}$
7 ④	**8** 0.8413	**9** 0.0013	**10** 24.92	**11** 1.29	**12** ③

1 모평균이 13이므로

$$E(\overline{X}) = 13$$

$$\therefore E(3\overline{X} - 9) = 3E(\overline{X}) - 9 = 3 \times 13 - 9 = 30$$

2 표본의 크기가 16, 모표준편차가 12이므로

$$\sigma(\overline{X}) = \frac{12}{\sqrt{16}} = 3$$

3 표본의 크기가 25, 모평균이 3, 모표준편차가 5이므로

$\mathrm{E}(\overline{X})=3$, $\mathrm{V}(\overline{X})=\dfrac{5^2}{25}=1$

따라서 $\mathrm{V}(\overline{X})=\mathrm{E}(\overline{X}^2)-\{\mathrm{E}(\overline{X})\}^2$에서

$\mathrm{E}(\overline{X}^2)=\mathrm{V}(\overline{X})+\{\mathrm{E}(\overline{X})\}^2=1+3^2=10$

4 확률의 총합은 1이므로

$\dfrac{1}{6}+a+\dfrac{1}{3}+\dfrac{1}{6}=1$ $\quad\therefore a=\dfrac{1}{3}$

따라서 확률변수 X에 대하여

$\mathrm{E}(X)=0\times\dfrac{1}{6}+1\times\dfrac{1}{3}+2\times\dfrac{1}{3}+3\times\dfrac{1}{6}=\dfrac{3}{2}$

$\mathrm{E}(X^2)=0^2\times\dfrac{1}{6}+1^2\times\dfrac{1}{3}+2^2\times\dfrac{1}{3}+3^2\times\dfrac{1}{6}=\dfrac{19}{6}$

$\therefore \mathrm{V}(X)=\mathrm{E}(X^2)-\{\mathrm{E}(X)\}^2=\dfrac{19}{6}-\left(\dfrac{3}{2}\right)^2=\dfrac{11}{12}$

이때 표본의 크기가 11이므로

$\mathrm{V}(\overline{X})=\dfrac{\frac{11}{12}}{11}=\dfrac{1}{12}$

5 확률변수 X의 확률분포를 표로 나타내면 다음과 같다.

X	1	2	3	4	합계
$\mathrm{P}(X=x)$	$\dfrac{1}{10}$	$\dfrac{1}{5}$	$\dfrac{3}{10}$	$\dfrac{2}{5}$	1

따라서 확률변수 X에 대하여

$\mathrm{E}(X)=1\times\dfrac{1}{10}+2\times\dfrac{1}{5}+3\times\dfrac{3}{10}+4\times\dfrac{2}{5}=3$

$\mathrm{E}(X^2)=1^2\times\dfrac{1}{10}+2^2\times\dfrac{1}{5}+3^2\times\dfrac{3}{10}+4^2\times\dfrac{2}{5}=10$

$\therefore \mathrm{V}(X)=\mathrm{E}(X^2)-\{\mathrm{E}(X)\}^2=10-3^2=1$

$\therefore \sigma(X)=\sqrt{\mathrm{V}(X)}=\sqrt{1}=1$

이때 표본의 크기가 9이므로

$\sigma(\overline{X})=\dfrac{1}{\sqrt{9}}=\dfrac{1}{3}$

6 상자에서 카드 1장을 임의로 꺼낼 때, 카드에 적힌 수를 확률변수 X라 하고 X의 확률분포를 표로 나타내면 다음과 같다.

X	1	2	3	합계
$\mathrm{P}(X=x)$	$\dfrac{2}{5}$	$\dfrac{2}{5}$	$\dfrac{1}{5}$	1

따라서 확률변수 X에 대하여

$\mathrm{E}(X)=1\times\dfrac{2}{5}+2\times\dfrac{2}{5}+3\times\dfrac{1}{5}=\dfrac{9}{5}$

$\mathrm{E}(X^2)=1^2\times\dfrac{2}{5}+2^2\times\dfrac{2}{5}+3^2\times\dfrac{1}{5}=\dfrac{19}{5}$

$\therefore \mathrm{V}(X)=\mathrm{E}(X^2)-\{\mathrm{E}(X)\}^2=\dfrac{19}{5}-\left(\dfrac{9}{5}\right)^2=\dfrac{14}{25}$

이때 표본의 크기가 2이므로

$\mathrm{E}(\overline{X})=\dfrac{9}{5}$, $\mathrm{V}(\overline{X})=\dfrac{\frac{14}{25}}{2}=\dfrac{7}{25}$

$\therefore \mathrm{E}(\overline{X})-\mathrm{V}(\overline{X})=\dfrac{38}{25}$

7 모집단이 정규분포 $\mathrm{N}(60, 18^2)$을 따르고 표본의 크기가 81이므로 표본평균 $\overline{X}$는 정규분포 $\mathrm{N}\left(60, \dfrac{18^2}{81}\right)$, 즉 $\mathrm{N}(60, 2^2)$을 따른다.

따라서 $a=60$, $b=2$이므로 $a+b=62$

8 모집단이 정규분포 $\mathrm{N}(15, 6^2)$을 따르고 표본의 크기가 4이므로 표본평균 $\overline{X}$는 정규분포 $\mathrm{N}\left(15, \dfrac{6^2}{4}\right)$, 즉 $\mathrm{N}(15, 3^2)$을 따른다.

$Z=\dfrac{\overline{X}-15}{3}$라고 하면 Z는 표준정규분포 $\mathrm{N}(0, 1)$을 따르므로 구하는 확률은

$\begin{aligned}\mathrm{P}(\overline{X}\geq12)&=\mathrm{P}\left(Z\geq\dfrac{12-15}{3}\right)\\&=\mathrm{P}(Z\geq-1)=\mathrm{P}(Z\leq1)\\&=\mathrm{P}(Z\leq0)+\mathrm{P}(0\leq Z\leq1)\\&=0.5+0.3413=0.8413\end{aligned}$

9 이 과수원에서 수확하는 귤의 당도를 X브릭스라고 하면 확률변수 X는 정규분포 $\mathrm{N}(13, 2^2)$을 따른다. 이때 임의추출한 귤 4개의 당도의 평균을 $\overline{X}$라고 하면 $\overline{X}$는 정규분포 $\mathrm{N}\left(13, \dfrac{2^2}{4}\right)$, 즉 $\mathrm{N}(13, 1)$을 따른다.

$Z=\overline{X}-13$이라고 하면 Z는 표준정규분포 $\mathrm{N}(0, 1)$을 따르므로 구하는 확률은

$\begin{aligned}\mathrm{P}(\overline{X}\leq10)&=\mathrm{P}(Z\leq10-13)\\&=\mathrm{P}(Z\leq-3)=\mathrm{P}(Z\geq3)\\&=\mathrm{P}(Z\geq0)-\mathrm{P}(0\leq Z\leq3)\\&=0.5-0.4987=0.0013\end{aligned}$

10 표본의 크기가 9, 표본평균이 7, 모표준편차가 6이므로 모평균 m에 대한 신뢰도 95 %의 신뢰구간은

$7-1.96\times\dfrac{6}{\sqrt{9}}\leq m\leq 7+1.96\times\dfrac{6}{\sqrt{9}}$

$\therefore 3.08\leq m\leq10.92$

따라서 $a=3.08$, $b=10.92$이므로

$a+2b=3.08+21.84=24.92$

11 표본의 크기가 64, 모표준편차가 2이므로 모평균에 대한 신뢰도 99 %의 신뢰구간의 길이는

$2\times2.58\times\dfrac{2}{\sqrt{64}}=1.29$

12 표본의 크기가 n, 모표준편차가 10이므로 모평균에 대한 신뢰도 95 %의 신뢰구간의 길이는

$2\times1.96\times\dfrac{10}{\sqrt{n}}$

이때 신뢰구간의 길이가 14 이하이려면

$2\times1.96\times\dfrac{10}{\sqrt{n}}\leq14$에서

$\sqrt{n}\geq2.8$

$\therefore n\geq7.84$

따라서 자연수 n의 최솟값은 8이다.

· MEMO ·